FOLLE, FOLLE, FOLLE L'ÉCOLE!

LA RÉVOLTE DES ROBOTS

DANS LA MÊME COLLECTION :

La fièvre du trésor

Crayon de malheur

La mascotte maboule

FOLLE, FOLLE, FOLLE L'ÉCOLE!

LA RÉVOLTE DES ROBOTS

ANDY GRIFFITHS

Texte français d'Hélène Pilotto

Éditions
SCHOLASTIC

Catalogage avant publication de Bibliothèque
et Archives Canada

Griffiths, Andy, 1961-
La révolte des robots / Andy Griffiths ;
texte français d'Hélène Pilotto.

(Folle, folle, folle l'école!)
Traduction de: Robot riot.
Pour les 9-12 ans.

ISBN 978-0-545-98189-7

I. Pilotto, Hélène II. Titre.
III. Collection: Griffiths, Andy, 1961- .
Folle, folle, folle l'école!.

PZ23.G848Ré 2009   j823   C2009-902693-7

Édition publiée par les Éditions Scholastic,
604, rue King Ouest, Toronto (Ontario) M5V 1E1

5 4 3 2 1   Imprimé au Canada   09 10 11 12 13

Pour M. Bechervaise

Chapitre 1

Il était une fois

Il était une fois – et il est toujours – une école appelée l'école Sudest de Nordouest de Centreville.

L'école Sudest de Nordouest de Centreville est située au sud-est de la ville de Nordouest, laquelle est située au nord-ouest de la grande ville de Centreville.

Vous n'avez pas besoin de savoir où se trouve Centreville, car c'est sans importance. Ce qui est important, c'est l'école. Dans cette école, il y a une classe. Et dans cette classe, il y a un groupe d'élèves de 5e année. Et, plus important encore, c'est que, dans ce groupe d'élèves de 5e année, il y a un garçon nommé Henri Tournelle qui adore raconter des histoires.

C'est ici que j'interviens.

C'est moi, Henri Tournelle... et voici mon histoire la plus récente.

Chapitre 2

Une nouvelle recrue

Tout commence un matin, à l'école. Je suis dans la cour avec mes amis Janie Ladouceur, Jacob Lepitre, Gaëlle Gaillard et Lucas Latrouille. Avec le reste de notre classe, nous ramassons des déchets.

Brigand, le chien qui rôde toujours autour de l'école, est là lui aussi. Mais Brigand n'essaie pas de ramasser des déchets. Il essaie plutôt de les manger.

— Aaaah, beurk! fait Janie en voyant Brigand mordre dans un vieux sandwich tout sec et tout sale.

— Vois le bon côté des choses, dit Jacob. Pour nous, c'est un déchet de moins à ramasser.

— J'aimerais bien qu'il mange aussi le papier et les contenants en plastique, commente Gaëlle en se penchant pour attraper une bouteille vide. J'en ai tellement ras le bol de ramasser des déchets.

— D'ailleurs, je ne comprends pas pourquoi nous devons ramasser des déchets, ajoute Jacob.

— Nous devons ramasser des déchets, explique Janie, parce que si nous ne le faisons pas, l'école Sudest de Nordouest de Centreville ne remportera pas le prix de l'école la plus propre de Nordouest.

— Et alors? On s'en fiche, lance Jacob.

— Pas moi, réplique Janie, parce que M. Barbeverte, notre directeur, y tient. Et que si nous ne gagnons pas, il

2

sera très fâché. Et je n'aime pas voir les gens fâchés.

— Et moi? riposte Jacob. Je suis fâché d'avoir à ramasser des déchets. Je viens à l'école pour apprendre à devenir dessinateur, pas éboueur!

— Et que fais-tu des microbes? s'inquiète Lucas en tremblant. Les déchets sont remplis de microbes, et moi, j'ai peur des microbes!

Il n'y a rien de surprenant à cela. Lucas a peur d'à peu près tout.

— Je te l'ai déjà dit, Lucas, le rassure Janie en lui tapotant le bras. Tu n'as pas à avoir peur des microbes. Si tu te laves les mains à l'eau tiède et au savon quand tu as fini, tout ira bien.

— C'est faux! s'écrie Jacob. Ça ne marche pas.

— Oui, ça marche, réplique Janie. Ma mère dit que l'eau tiède et le savon tuent tous les microbes.

— Peut-être, dit Jacob, mais penses-y un peu! Tu ouvres le robinet avec tes mains pleines de microbes et après, tu fermes le robinet avec tes mains propres. Mais les microbes que tu as laissés sur le robinet quand tu l'as ouvert avec tes mains pleines de microbes reviennent sur tes mains propres et les contaminent de microbes à nouveau. Et alors, au moment où tu t'y attends le moins — quand tu dors, probablement, les microbes grimpent sur tes bras... puis sur ton cou... puis ils escaladent ton menton... puis ils se glissent dans ta bouche... et après, ils descendent dans ta gorge et...

— Jacob!

Janie et moi avons crié en même temps.

— Quoi? fait-il.

— Tu fais peur à Lucas!

Lucas est secoué de violents tremblements et il suffoque. Je passe mon bras autour de ses épaules et attends qu'il reprenne le contrôle de sa respiration.

— Ce n'est pas ma faute, proteste Jacob. Ce n'est pas moi qui ai inventé les microbes.

— Personne n'a dit ça, lance Janie, mais tu en parles en long et en large.

— Désolé, Lucas, dit Jacob. C'est juste que je déteste ramasser des déchets. Ça me rend dingue. Et tout ça parce que le directeur veut remporter ce prix stupide... J'aimerais bien lui dire ce que j'en pense, de lui et de son vieux prix stupide!

— Eh bien, on dirait que tu vas en avoir l'occasion, dit Gaëlle. Il arrive justement!

Nous nous retournons tous pour voir.

M. Barbeverte traverse la cour d'école à grandes enjambées.

Il porte un uniforme blanc de style marin, comme en portent les capitaines de navire.

Et il y a une bonne raison pour cela.

De l'avis de M. Barbeverte, il est le capitaine d'un navire et le personnel, tout comme les élèves de l'école Sudest de Nordouest de Centreville, forment son équipage. Je sais que cela semble fou, mais en fait, il n'est pas fou. Il est simplement fou des bateaux et de la navigation.

Une fille que je ne connais pas l'accompagne. Elle a les cheveux bruns et courts, et un regard fixe et intense.

Nous nous mettons tous au garde-à-vous et le saluons.

Le directeur nous rend notre salut.

— Bonjour, 5B! lance-t-il. Vous faites un boulot

formidable sur le pont. Continuez comme ça et notre vieux rafiot sera tout propre en moins de deux! Je suis très heureux de vous annoncer que nous avons une nouvelle recrue pour nous aider dans notre grande entreprise.

M. Barbeverte jette un regard alentour et demande :

— Où est votre officier commandant?

— M. Desméninges? demande David Brillant, le président de notre classe.

— Oui, c'est bien lui l'officier commandant de votre classe, n'est-ce pas?

— Oui, monsieur, répond David avec fierté. Il m'a laissé la responsabilité de la classe.

— Ainsi qu'à moi, ajoute Florence Fortiche, un peu vexée. Je suis la co-présidente de classe, vous savez.

— Désolé, marmonne David. Je veux dire qu'il nous a laissé la responsabilité de la classe.

— Oui, mais où est-il? demande M. Barbeverte. Je ne peux pas rester ici toute la journée! J'ai un navire à piloter!

— Je l'ignore, monsieur, répond David.

— Moi, je le sais! s'écrie Gaëlle. Attention!

Elle plaque David et l'entraîne dans un formidable vol plané. Tous deux s'écrasent par terre un peu plus loin.

— Oufff! fait David.

— Aaaah! fait M. Desméninges en tombant du toit.

Il atterrit à l'endroit exact où David se tenait avant que Gaëlle ne le pousse brusquement.

Des balles de tennis rebondissent en tous sens.

M. Desméninges se lève et salue le directeur.

— Ohé, du bateau! dit-il vivement. Vous allez être heureux d'apprendre qu'il n'y a plus de balles de tennis dans les gouttières.

— Bonjour, monsieur Desméninges! glousse M. Barbeverte. Vous venez de faire une chute en bas du gréement, pas vrai? Eh bien, vous n'êtes pas le premier matelot à qui cela arrive. En parlant de matelot, je vous amène une nouvelle recrue. Je vous présente Roberta, Roberta Boulon.

M. Desméninges se tourne vers la fille et la salue d'une manière solennelle.

— Bienvenue à bord du bon navire Sudest de Nordouest de Centreville, déclare-t-il.

Roberta fixe M. Desméninges, les yeux écarquillés.

J'imagine qu'on peut difficilement la blâmer pour cela.

Avec son veston violet, sa chemise orange, sa cravate verte et ses cheveux hirsutes, M. Desméninges ne ressemble pas vraiment à l'enseignant type auquel on est habitué. Entre lui et M. Barbeverte, la nouvelle semble se demander dans quel genre d'endroit elle vient d'arriver au juste.

Le directeur lui donne un léger coup de coude.

— Matelot, tu dois saluer ton officier commandant lorsqu'il te salue, lui chuchote-t-il.

Roberta hoche la tête, puis salue notre enseignant.

— Bonjour, monsieur Desméninges, dit-elle.

— C'est mieux, déclare M. Barbeverte d'un ton approbateur. Desméninges, j'apprécierais que vous preniez la jeune Roberta ici présente sous votre commandement, que vous l'aidiez à se démêler dans les cordages et à développer son pied marin.

— Mais bien sûr! dit M. Desméninges. C'est non seulement mon devoir, mais aussi mon plaisir.

— Bonne chance, matelot! lance M. Barbeverte.

Il salue la nouvelle et M. Desméninges d'un même geste, puis fait demi-tour et retraverse la cour d'école en sens inverse d'un pas vif. Après tout, cet homme est très occupé. Il a un navire à piloter.

Chapitre 3

Présentation de la classe 5B

C'est à ce moment-là que Lucas se met à gémir très fort.

— Que se passe-t-il? demande Janie.

Lucas a les yeux rivés sur sa main droite comme si c'était la première fois qu'il la voyait.

— Ma main… gémit-il. Ma main…

— Qu'est-ce qu'elle a, ta main, Lucas? Je ne lui vois rien d'anormal, dis-je.

— J'ai ramassé un contenant de yogourt, et du yogourt est tombé sur ma main! pleurniche-t-il. Ma main est couverte de microbes de yogourt!

— Janie, tu ferais mieux d'emmener Lucas se laver les mains, conseille M. Desméninges. En fait, je crois que nous avons fait assez de nettoyage dans la cour d'école. Si on s'arrêtait là pour aujourd'hui?

— Vous voulez dire qu'on peut rentrer chez nous? demande Jacob, plein d'espoir.

— Non, j'ai bien peur que non, Jacob, mais nous pouvons rentrer en classe.

— Fiou! laisse échapper Florence. Je commençais à avoir hâte de travailler pour de vrai.

Il faut préciser que Florence est l'élève la plus enthousiaste de notre classe.

— Tu es un phénomène, toi, dit Olivier Rustaud en roulant de gros yeux.

Il faut préciser qu'Olivier est l'élève le moins enthousiaste de notre classe.

— Le seul phénomène ici, c'est toi, réplique Florence.

— Je vais dire à mon frère que tu as dit ça, dit Olivier. Et quand il va l'apprendre, il va devenir fou!

— Comment ça, devenir? se moque Florence. Je croyais qu'il l'était déjà.

— Je vais lui dire que tu as dit ça aussi, jure Olivier.

Mais Florence n'entend pas la menace d'Olivier. Elle est déjà en train de courir vers sa classe adorée.

— Eh bien, dit M. Desméninges à la nouvelle une fois que nous sommes de retour en classe. Je crois que nous devrions commencer par te présenter tes camarades de classe.

Roberta fixe intensément chaque personne pendant que M. Desméninges nous présente.

Puis, une fois qu'il a terminé, elle ferme les yeux un instant, les ouvre et répète chacun de nos noms à la perfection, exactement dans le même ordre que M. Desméninges.

— Ouah! C'est incroyable! s'exclame Jacob. Tu t'es souvenue de tous nos noms!

— Ce n'est pas vraiment difficile, Jacob, répond Roberta. C'est simplement une question de concentration. La plupart des gens ne sont attentifs que durant de très courts moments.

— Parfaitement! appuie M. Desméninges. Être attentif, c'est la chose la plus importante au monde, n'est-ce pas Ro... Ro... Rosanna?

— Roberta! le corrige-t-elle.

— Je sais, dit M. Desméninges en souriant. Je plaisantais.

Roberta a l'air embêtée, comme si elle ne savait pas trop ce que le mot « plaisanter » signifiait.

— Et si tu prenais place à ce pupitre, à côté de Janie Ladouceur? lui propose M. Desméninges. Elle va s'occuper de toi au cours des prochains jours, le temps que tu te repères par toi-même.

— C'est déjà fait, répond Roberta. M. Barbeverte m'a fait faire le tour de l'école, un peu plus tôt ce matin.

— Merveilleux! Néanmoins, on peut toujours avoir besoin d'un ami et tu ne trouveras personne de plus amical dans toute l'école que Janie Ladouceur!

— Merci, dit Janie en souriant avec fierté et en signifiant d'un geste à Roberta de venir s'asseoir à côté d'elle. En passant, monsieur Desméninges, avez-vous aimé votre banane, ce matin?

— Oui, beaucoup! répond-il. Et quel délicieux spécimen c'était! Je te remercie, Janie.

Même si la pomme est le cadeau traditionnel qu'on fait à un enseignant, à l'école Sudest de Nordouest de Centreville, c'est une banane que Janie dépose chaque matin sur le bureau de M. Desméninges. Elle fait cela depuis qu'il nous a aidés à remporter la compétition interscolaire d'athlétisme de Nordouest en revêtant un costume de mascotte de banane. C'est là l'un des nombreux gestes attentionnés et gentils que Janie fait pour les autres tout au long d'une journée.

— Pouvons-nous faire du vrai travail à présent? demande Florence.

— Oui, répond M. Desméninges en se frottant les mains.

C'est une excellente idée, Florence! Quelqu'un connaîtrait-il une bonne blague?

Chapitre 4

Pourquoi le robot a-t-il traversé la rue?

— Une blague, ce n'est pas du vrai travail! proteste Florence dont les épaules retombent sous le coup de la déception.

— Mais bien sûr que si! répond M. Desméninges. Tu connais le proverbe : « On dit souvent la vérité en riant. » D'ailleurs, les blagues nous font rire et le rire est l'une des choses les plus importantes au monde!

— Pas aussi important que les maths, quand même, réplique Florence.

— Bien plus important que les maths! lance M. Desméninges. Je pense que le monde serait un endroit bien plus agréable si on passait moins de temps à faire des maths et plus de temps à rire.

Florence se renfrogne, mais elle n'a pas le temps de répliquer que Jacob prend la parole.

— Je connais une blague! clame-t-il. Qu'ont en commun un raisin et un poulet?

— Rien! répond Florence.

— Si, ils ont quelque chose en commun, réplique Jacob. Tous les deux ont des plumes… sauf le raisin.

Jacob rit de plus belle.

— C'est tout simplement stupide, commente Florence.

— Ouais, ajoute Olivier. Qui a déjà entendu parler d'un

raisin à plumes?

— Non, Olivier, dit Jacob qui glousse encore. Tu n'as pas compris. Le raisin n'a pas de plumes. C'est ça qui est drôle.

— Je vais dire à mon frère que tu as dit ça, répond Olivier.

— Quoi? Que les raisins n'ont pas de plumes?

— Non, reprend Olivier. Je vais lui dire que tu as dit que je n'avais pas compris!

— C'est pourtant vrai, dit Jacob. Mais j'en connais une autre. Pourquoi l'avion s'est-il écrasé?

— À cause du mauvais temps? répond David.

— Non, dit Jacob.

— Une erreur de pilotage? suggère Florence.

— Non, ricane Jacob.

— Parce qu'un avion, ça n'a pas de plumes? tente Olivier.

— Encore non, dit Jacob. Vous donnez votre langue au chat?

— Oui! dit M. Desméninges. Nous donnons notre langue au chat.

— Parce que le pilote était un pain! répond Jacob en se tordant de rire.

La scène est plutôt cocasse… enfin, d'une manière complètement sérieuse.

— On peut faire des maths à présent? demande Florence.

— Je connais une blague! s'écrie Guillaume. Pourquoi le robot a-t-il traversé la rue?

— Parce qu'il voulait se rendre de l'autre côté? propose

13

M. Desméninges.

— Non, répond Guillaume.

— Parce qu'il y a un deuxième robot de l'autre côté de la rue et que le premier robot veut se lier d'amitié avec le second? suggère Janie.

— Non, répond Guillaume. Les robots ne se lient pas d'amitié entre eux. Ce sont des robots.

— Parce qu'il a peur? dit Lucas.

— Non, répond Guillaume avec un peu d'agacement. Les robots ne connaissent pas la peur. Ils n'ont pas d'émotions. Ce sont des robots!

— Aurons-nous un test là-dessus, monsieur? demande Florence.

— Non, répond M. Desméninges.

— Parce qu'il a vu un cheval? dit Paméla.

— Non, répond Guillaume. Les robots ne s'intéressent pas aux chevaux.

— Et si c'était un cheval-robot? propose Gina.

— Ça n'existe pas, répond sèchement Guillaume. Vous abandonnez?

— Non, répond Roberta. Je connais la réponse. Le robot a traversé la rue parce qu'il était programmé pour traverser la rue.

Guillaume est abasourdi.

— Comment as-tu deviné?

— Parce que c'est évident, répond Roberta. Un robot ne peut faire que les tâches pour lesquelles il a été programmé. Ainsi, si un robot traverse une rue, il est normal de penser qu'il a été programmé pour traverser la rue. Mais pourquoi — et ça, c'est la question véritablement intéressante — pourquoi le programmeur a-t-il programmé le robot pour

14

qu'il traverse la rue?

— Non, ce n'est pas ça, proteste Guillaume. Ce n'est pas ça du tout, la question véritablement intéressante. Ça n'a pas d'importance pourquoi le programmeur a programmé le robot pour qu'il traverse la rue. Ce n'est qu'une blague. C'est fait pour rire.

— Je ne vois pas ce qu'il y a de drôle à programmer des robots pour qu'ils traversent la rue sans raison pertinente, réplique Roberta. Un robot, c'est un objet technologique très complexe et qui coûte très cher. Il pourrait se faire renverser par une voiture. Et ça, assurément, ça n'aurait rien de drôle.

Sapristi! Elle prend cette histoire vraiment au sérieux. Il est clair qu'elle se soucie beaucoup des robots et de leur sécurité.

Toute la classe est silencieuse. On ne peut pas dire qu'il y a beaucoup de rigolade durant cette période consacrée aux blagues.

La sonnerie annonçant la récréation de l'avant-midi retentit.

Nous poussons tous un soupir de soulagement et nous nous ruons vers la porte.

Chapitre 5

1re grande leçon à propos des blagues

Si ton raisin a des plumes, c'est probablement un poulet.

Chapitre 6

2e grande leçon
à propos des blagues

On ne devrait jamais confier les commandes d'un avion à un pain.

Chapitre 7

3ᵉ grande leçon à propos des blagues

Les blagues au sujet des robots ne sont pas drôles.

Chapitre 8

Une fille des plus bizarres

À la récréation, Roberta accepte l'invitation de Janie de venir s'asseoir avec nous à notre endroit habituel, sous les arbres, près du terrain de basket-ball.

Paméla et Gina Palomino, les jumelles folles des chevaux, courent autour de la cour en criant « Allez, hue! » et « Plus vite! Plus vite! »

— Est-ce qu'elles vont bien? demande Roberta.

— Très bien, dis-je.

J'ai tellement l'habitude de voir Paméla et Gina agir ainsi que je ne les remarque même plus. Mais je comprends que cela puisse sembler plutôt bizarre aux yeux d'un inconnu. C'est fou comme l'arrivée d'un nouvel élève peut nous faire réaliser à quel point notre école est hors de l'ordinaire.

— Que font-elles? demande encore Roberta.

— Elles font une course de chevaux.

— Mais elles n'ont pas de chevaux!

— Ce sont des chevaux imaginaires, explique Gaëlle. Mais ne dis pas ça à Paméla ou à Gina. Pour elles, ces chevaux sont bien réels.

— Ne vaudrait-il pas mieux leur dire que les chevaux ne sont pas réels, plutôt que de les laisser souffrir en se faisant des illusions?

— Ma foi, dit Janie, tout est là... Elles ne souffrent pas.

Elles adorent s'imaginer qu'elles ont des chevaux! Le magnifique étalon noir de Paméla s'appelle Minuit et la jument aussi blanche que la neige de Gina s'appelle Glace. Les deux bêtes sont plutôt gentilles quand on apprend à les connaître. Mais ne t'avise surtout pas de leur donner du sucre, car tu rendrais Paméla et Gina complètement folles.

— Merci. Je vais tâcher de me le rappeler, dit Roberta. Et puisqu'on parle de folie, qu'est-ce qu'il a, M. Desméninges?

— Il est super, pas vrai? dit Jacob. C'est le meilleur enseignant qu'on n'ait jamais eu. Non seulement il nous permet de raconter des blagues en classe, mais en plus, il nous a déjà appris à glisser sur une pelure de banane. C'était vraiment génial.

Roberta regarde Jacob et fronce les sourcils.

— Je croyais que nous allions à l'école pour apprendre, pas pour raconter des blagues ou pour glisser sur des pelures de banane... ni, tant qu'à y être, pour saluer un directeur d'école qui se prend pour un capitaine de bateau. Tout ça ne semble pas... eh bien... normal.

Elle a peut-être raison, mais aucun d'entre nous n'aime l'entendre parler ainsi de M. Desméninges.

— Tu dois t'ennuyer de ton ancienne école, Roberta, dit Janie en essayant de changer de sujet.

— Non, pas vraiment, dit Roberta.

— Mais tu ne t'ennuies pas de tes amis? insiste Janie. Moi, je sais que ce serait le cas si je devais changer d'école.

Roberta hausse les épaules.

— Nous étions regroupés selon nos capacités, explique-t-elle. L'amitié n'avait pas grand-chose à voir là-dedans. Nous nous contentions de faire notre travail.

— Mais il y a autre chose que le travail dans la vie! s'écrie Janie.

Roberta fixe Janie d'un air perplexe.

— Ça doit être effrayant d'arriver dans une nouvelle école, dit Lucas, qui semble effrayé juste à l'idée d'y penser.

— Non, dit Roberta. Qu'y a-t-il d'effrayant? Je ne cours aucun danger physique.

— Et si tu étais tombée dans une école remplie de zombies mangeurs de cervelles? demande Jacob. Dans ce cas, je parie que tu aurais eu peur.

— De quoi parles-tu? demande Roberta.

— Je parle de zombies mangeurs de cervelles! réplique Jacob. Imagine qu'ils veulent tous manger ta cervelle. Tu serais assise en classe à essayer de travailler et eux, ils arriveraient en catimini derrière toi, armés de couteaux et de fourchettes, et ils diraient : « Ouais, dévorons la cervelle de cette nouvelle élève à même son crâne pendant qu'elle est encore toute chaude. » Puis ils brandiraient leurs couteaux et leurs fourchettes au-dessus de ta tête et...

— Jacob! crie Janie. Cesse de parler de zombies mangeurs de cervelles! Tu fais peur à Lucas!

Lucas est livide. Son visage est aussi blanc que... eh bien... aussi blanc qu'un enfant qui vient tout juste de prendre conscience que des zombies mangeurs de cervelles sont en train de dévorer sa cervelle à même son crâne pendant qu'elle est encore toute chaude.

— Désolé, dit Jacob, mais tu dois reconnaître que ça, ce

21

serait plutôt effrayant, non?

— Eh bien, oui, ce le serait, concède Roberta. Si les zombies mangeurs de cervelles existaient pour de vrai.

— Mais bien sûr qu'ils existent! réplique Jacob. Comment pourrait-on faire des films à leur sujet s'ils n'existaient pas?

Roberta semble s'apprêter à donner à Jacob un cours magistral sur l'impossibilité de l'existence des zombies mangeurs de cervelles, mais l'arrivée de Gina l'en empêche. Elle passe près d'eux, le visage illuminé d'un grand sourire.

— Hue! crie-t-elle en galopant.

— Plus vite! Plus vite! hurle Paméla qui galope juste derrière elle, un sourire encore plus grand ornant son visage.

Roberta les regarde de travers.

De toute évidence, elle ne croit ni aux zombies mangeurs de cervelles ni aux chevaux imaginaires.

Ni aux amis.

Ni à l'idée que changer d'école est une expérience effrayante.

Ni à la pertinence de raconter des blagues ou de glisser sur des pelures de bananes en classe, d'ailleurs.

Elle est vraiment bizarre comme fille.

Chapitre 9

Une araignée!

Quand Janie, Jacob, Lucas, Gaëlle et moi retournons en classe, nous trouvons Roberta déjà assise à son pupitre, les mains posées devant elle et regardant M. Desméninges droit dans les yeux.

— Eh bien, commence M. Desméninges, continuons, si vous le voulez bien.

— Plus de blagues, s'il vous plaît, le supplie Florence.

— Non, dit M. Desméninges. Je crois qu'il est temps que nous nous mettions à écrire un peu!

— Une dissertation? demande Florence, remplie d'espoir. J'adore les dissertations!

— J'ai bien peur que non, répond M. Desméninges. Je pensais plutôt à une histoire.

Bon, j'ai beau raffoler des blagues, j'aime encore plus raconter des histoires. Ça, c'est mon genre de leçon préférée.

Roberta, toutefois, a un autre avis sur la question.

— Une histoire inventée? demande-t-elle. Je n'ai jamais fait ça. Est-ce que je pourrais écrire à propos d'un fait réel plutôt?

— Réelle ou inventée? reprend M. Desméninges en haussant les épaules. Où est la différence?

— Je dirais qu'il y a plusieurs différences, répond Roberta. Les histoires réelles sont vraies. Les histoires inventées sont fausses.

— Je n'en suis pas si sûr, dit M. Desméninges. Parfois, les histoires inventées contiennent une grande part de vérité et les histoires vraies cachent un gros paquet de mensonges!

Roberta examine M. Desméninges avec scepticisme.

— Donnez-moi un exemple, dit-elle.

— Eh bien, commence M. Desméninges, l'une des histoires pour enfants les plus connues et les plus appréciées de tous les temps se déroule dans une grange remplie d'animaux, parmi lesquels on retrouve un cochon qui parle et une araignée qui écrit des mots dans sa toile! Bien sûr, ce n'est pas littéralement vrai. Nous savons tous que les araignées n'écrivent pas et que les cochons ne parlent pas, mais l'histoire contient néanmoins de nombreuses vérités à propos de la vie et de la mort, de l'amitié et de l'amour.

— Je sais de quel livre vous parlez! s'écrie Janie. C'est *La Toile de Charlotte!* Je l'adore.

— Moi, j'ai peur des araignées, dit Lucas en tremblant.

Il est tout blême.

— Ne t'inquiète pas, Lucas, dit Janie. Il n'y a pas de raison d'avoir peur des araignées.

— Oui... il... y en a! bégaie Lucas en fixant un point quelque part au-dessus de sa tête, le doigt en l'air et la bouche ouverte en signe d'horreur.

— Non, il n'y en a pas, Lucas, répète Janie avec fermeté. Ma mère dit que les araignées ont plus peur de nous que nous avons peur d'elles. De plus, Charlotte était une araignée très gentille.

— A-A-A... bredouille Lucas d'une toute petite voix, en

continuant à pointer son doigt au-dessus de nos têtes.

— Quel est son problème? demande Roberta.

— Je ne sais pas, mais je suis pas mal certain que ça commence par un « a », répond Jacob.

— Arachide? propose Florence. Abeille? Algèbre? Astronaute?

Lucas est tout rouge. On dirait qu'il va exploser.

— ARAIGNÉE! finit-il par crier en retrouvant soudainement l'usage de la parole. ARAIGNÉE!

— Il n'y a pas d'araignée, Lucas, le corrige M. Desméninges.

— OUI, IL Y EN A UNE! crie Lucas en agitant toujours son doigt en l'air.

— Où ça? demande M. Desméninges.

— LÀ! crie Lucas.

Nous nous étirons tous le cou pour tâcher de voir ce qu'il désigne. Lentement, elle apparaît sous nos yeux. Une araignée. Une minuscule araignée. Une minuscule araignée qui se balance au bout d'un fil quasi invisible, juste devant le pupitre de Lucas.

Elle est à peine plus grosse que le point qui ponctue la fin de cette phrase.

Mais c'est une araignée quand même.

Lucas est peut-être le seul à avoir peur des papillons, mais toute la classe est solidaire avec lui dans sa peur des araignées.

Nous poussons tous un cri de mort, bondissons de nos chaises et reculons vers les murs de la classe.

M. Desméninges, qui craint apparemment encore plus les araignées que nous tous réunis, recule avec tant de précipitation qu'il titube, heurte le rebord de la fenêtre, bascule et tombe à la renverse par l'embrasure!

Les deux seules personnes dans la pièce qui n'essaient pas de s'éloigner de l'araignée sont Lucas — qui est pétrifié de terreur — et Roberta, qui ne semble pas ennuyée le moins du monde.

Elle reste assise à nous fixer d'un regard sans expression.

— Quel est votre problème? demande-t-elle. Ce n'est qu'une araignée. Elle est tout à fait inoffensive!

Roberta se lève, avance jusqu'à l'araignée, la prend et la dépose dans le creux de sa main.

Jamais de ma vie je n'ai vu quelqu'un faire une chose semblable.

Enfin, toucher une araignée par accident est une chose, mais toucher une araignée de son plein gré me semble impensable... Je dirais même pratiquement inhumain.

— J'en étais sûre! lance Roberta en examinant intensivement le spécimen. Une minuscule araignée domestique. De la famille des *Povrobestioli inoffensivo*, sauf erreur.

— Bien sûr, dit Florence en avançant prudemment vers Roberta pour essayer de regagner son titre de mademoiselle-je-sais-tout de la classe. Ce n'est qu'une simple araignée domestique. Je le savais!

— Non, tu ne le savais pas, réplique Roberta. Tu as couru jusqu'à la fenêtre comme tous les autres. Tu avais peur.

— Non, je n'avais pas peur, répond Florence en rougissant. J'avais juste besoin d'un peu d'air frais. En parlant de fenêtre, je ferais mieux d'aller voir si M. Desméninges va bien!

Florence sort de la classe en courant, clairement ravie d'avoir une excuse pour échapper aux questions de Roberta.

Roberta marche calmement jusqu'à la fenêtre et souffle doucement sur l'araignée pour la faire tomber de sa main.

Nous entendons M. Desméninges pousser un cri.

C'est bon de l'entendre.

Même s'il crie.

Au moins, nous savons qu'il est toujours en vie.

Chapitre 10

Contourner les règles

Quelques minutes plus tard, M. Desméninges reparaît en classe.

Je lui demande :

— Est-ce que vous allez bien?

— Bien sûr qu'il va bien, tranche Roberta avant même que M. Desméninges ne puisse répondre. Une chute de cette hauteur avec atterrissage dans un parterre récemment bêché ne peut pas causer de blessure grave. Bien sûr, s'il était tombé sur du béton, ça aurait été autre chose. Le choc aurait pu fendre son crâne en deux et envoyer son cerveau...

— Oui, bon, bafouille M. Desméninges, réjouissons-nous que les parterres de M. Herbête ne soient pas en béton!

— Ce qui m'inquiète, cependant, poursuit Roberta d'une voix qui ressemble à un ronronnement, c'est que votre sortie par la fenêtre contrevient clairement à deux articles du règlement qui sont pourtant explicites dans le manuel de l'école Sudest de Nordouest de Centreville.

— Vraiment? demande M. Desméninges. Quels articles?

— Dans la section vingt-trois, le premier paragraphe indique en toutes lettres que les fenêtres ne doivent pas être utilisées comme sorties, d'urgence ou non. Également, dans la section quarante-cinq, le deuxième paragraphe stipule qu'un enseignant ne doit abandonner ses élèves sous aucun prétexte.

Je n'arrive pas à le croire. Non seulement Roberta peut toucher les araignées, mais elle semble aussi avoir mémorisé le manuel de l'école en entier… alors qu'elle n'est à l'école que depuis ce matin.

— C'est exact, monsieur, confirme David en feuilletant rapidement son exemplaire du manuel, tout écorné par l'usage, pour attester la déclaration de Roberta.

David adore les règlements et semble un tantinet irrité de ne pas avoir été le premier à remarquer ces infractions particulières.

— Tout cela est très intéressant, déclare M. Desméninges à Roberta, mais comment diable se fait-il que tu saches cela?

— J'ai lu le manuel, répond-elle.

— Combien de fois? demande M. Desméninges.

— Une seule fois, dit Roberta. Comme je l'ai dit, je suis très attentive.

— Quand as-tu dit ça? demande M. Desméninges.

— Ce matin! répond Roberta d'un ton agacé.

M. Desméninges lui adresse un grand sourire.

— Oh… fait Roberta en comprenant tout à coup. Vous plaisantiez encore, c'est ça?

— C'est ça, répond M. Desméninges en souriant toujours.

— J'ai mémorisé le manuel parce que je pense que c'est très important de connaître les règlements, explique Roberta, qui paraît plus calme à présent.

— Oui, je vois ça, dit M. Desméninges. Mais c'est aussi

important de savoir quand les transgresser. Après tout, tu sais ce qu'on dit...

— Non, dit Roberta. Qu'est-ce qu'on dit? Et c'est qui, *on*?

— Eh bien... fait M. Desméninges, un peu déconcerté par la question. On... ce sont les gens qui disent que les règles sont faites pour être contournées.

— C'est ridicule, lance Roberta. Pourquoi se donner la peine de faire des règles si on a l'intention de les transgresser? On pourrait aussi bien ne pas avoir de règles dans ce cas.

— Eh bien, je ne crois pas qu'une personne décide intentionnellement de transgresser une règle, dit M. Desméninges. Enfin, ce que je veux dire, c'est que je n'avais sûrement pas l'intention de tomber par cette fenêtre : c'était un accident. Mais cela ne signifie pas qu'il est inutile d'avoir une règle spécifiant que les gens ne doivent pas utiliser les fenêtres pour entrer ou sortir du bâtiment. D'une part, l'absence de règles pourrait causer plusieurs blessures inutiles. D'autre part, il peut arriver que quitter une pièce en sautant par la fenêtre soit la décision la plus judicieuse, lorsqu'il y a un incendie, par exemple... ou une...

— Araignée? dit Roberta.

— Aaaah! crie Lucas. Où ça?

— Ça va, Lucas, dis-je pour le rassurer. Il n'y a pas d'araignée.

— C'est ce que Janie a dit aussi tout à l'heure, me rappelle-t-il.

Je lui réponds :

— Je sais, mais cette fois, c'est vrai.

— Je préfère ne pas courir de risque, déclare Lucas

avant de bondir sur ses pieds, de courir vers la fenêtre et de plonger par l'embrasure.

Janie se lève aussitôt et se dirige vers la porte.

— J'y vais, dit-elle en soupirant.

— Encore un cas flagrant d'infraction au règlement de la section vingt-trois, paragraphe un, dit calmement Roberta.

Je n'arrive pas à croire qu'elle a mémorisé le manuel de l'école en entier.

Quel genre de personne ferait une chose pareille?

Une personne très bizarre, c'est sûr.

À vrai dire, Roberta est manifestement l'une des personnes les plus bizarres que j'aie jamais rencontrées.

Non seulement semble-t-elle avoir une mémoire photographique, mais en plus, elle n'a peur de rien... pas même des araignées!

Cela dit, même si je la trouve bizarre, je vais bientôt découvrir à quel point elle l'est vraiment...

Chapitre 11

Le journal de Roberta

Bon, maintenant, avant que je vous raconte la suite, je dois vous expliquer quelque chose.

Je ne suis pas un fouineur.

Je ne suis pas le genre de personne qui lirait le journal d'un autre sans sa permission.

Enfin, pas si j'avais le choix à tout le moins.

Et le fait est que je n'avais pas le choix.

Voyez-vous, ce jour-là, je suis le dernier à quitter la classe et, au moment de partir, j'aperçois le journal intime de quelqu'un qui traîne par terre. Je me dis que je ferais mieux de faire une bonne action et de le ramasser, de peur que le concierge ne le prenne pour un déchet et ne le jette aux ordures. Mais au moment où je le prends, il s'ouvre et je tombe accidentellement sur ces mots :

Rapport de mission
Ultrasecret
Ne doit être lu par personne,
surtout pas par des humains!!!

Bon, sérieusement, qu'est-ce que vous auriez fait?

Vous auriez fait semblant de n'avoir rien vu, auriez refermé le journal et l'auriez déposé sur le bureau de votre enseignant?

Non, bien sûr que non!

Vous auriez fait ce que n'importe qui aurait fait... enfin... n'importe qui d'humain en tout cas. Vous auriez continué à lire. Jusqu'à la fin. Si vous ne me croyez pas, essayez donc de sauter le prochain chapitre pour voir.

Chapitre 12

La mission de Roberta

Je m'appelle Robota Boulon. Je suis un robot de l'avenir, superévolué et superintelligent. J'ai été envoyé ici par mes supérieurs pour débarrasser le monde des êtres humains inefficaces, afin que les robots puissent prendre le contrôle de la Terre. Jusqu'ici, tout se passe bien... Les humains ne se doutent de rien. Ils croient que je suis une fille normale, élève de cinquième année d'une école appelée Sudest de Nordouest de Centreville. C'est tout un défi pour moi de m'intégrer ici. Les humains sont tous d'intelligence et de capacité moyennes. Moi, bien sûr, je suis un Robota 1000, le robot superintelligent le plus évolué de tous les temps sur le plan technologique. Ces humains sont pathétiques comparés aux robots. C'est pourquoi ils doivent être exterminés et remplacés par des robots. Comparés à nous, avec notre intelligence supérieure, les êtres humains ont l'air d'enfants. Leurs cerveaux et leurs corps sont limités dans leurs fonctions. Essayer de leur expliquer la différence entre ce qu'ils sont et ce que nous sommes risquerait de faire exploser leur minuscule cervelle. D'ailleurs, même si mes capteurs sont incapables de ressentir une émotion réelle, ma mission m'attriste déjà. Plus je passe de temps avec eux et plus ces singes intelligents m'intéressent. Je suis intriguée par leurs pitreries, leurs erreurs et leur dévouement fidèle à cette chose qu'ils appellent le plaisir. Qu'est-ce que le plaisir? Et pourquoi est-ce si important pour eux? Même si je suis un Robota 1000 superévolué et superintelligent, il y a plusieurs choses que je ne comprends pas. Mais je ne dois pas me tracasser avec ces pensées. J'ai une mission à accomplir et je vais la mener à bien. Réfléchir ne fait que rendre plus difficile ce qui doit être accompli.

Robota Boulon
robot superévolué et superintelligent

Chapitre 13

Ma mission

Vous l'avez lu, pas vrai?

Je le savais.

Qui ne l'aurait pas fait?

Personne... à moins d'être un robot, bien sûr.

Ce que vous n'êtes pas, je présume.

Pas comme Roberta.

Je lis et relis le rapport de Roberta pour m'assurer que je ne me suis pas trompé sur un détail ou un autre.

Mais il n'y a pas à s'y méprendre.

· Roberta est un robot.

Je savais qu'elle était bizarre.

Sa mémoire photographique, son manque d'intérêt pour les amis, le fait qu'elle n'a aucune imagination, aucun sens de l'humour et aucune peur des araignées : toutes ces choses m'ont fait soupçonner qu'elle n'est pas une fille normale.

Ce que je n'avais pas soupçonné cependant, c'est qu'elle est un robot superévolué et superintelligent qui a pour mission de débarrasser la Terre des êtres humains, en commençant par tout le monde à l'école Sudest de Nordouest de Centreville!

Eh bien, dès maintenant, moi, Henri Tournelle, j'ai aussi une mission : je dois l'en empêcher.

Chapitre 14

La vérité au sujet de Roberta

J'ai de la difficulté à dormir cette nuit-là.

Mes rêves sont remplis de robots qui se déchaînent dans les corridors de l'école.

Le lendemain matin, je me rends tôt à l'école pour attraper les autres à l'entrée de la cour. Je dois les mettre en garde au sujet de ce qui nous attend — et de qui nous allons affronter.

Jacob arrive le premier.

— Que se passe-t-il, Henri? me demande-t-il en voyant ma drôle de tête. As-tu des fourmis dans ta culotte?

— Non, dis-je. Pire que ça!

— Des araignées? dit Jacob en souriant.

Je m'écrie :

— Non! Sois sérieux. Je ne rigole pas!

— C'est bon, c'est bon, dit-il. Calme-toi! Qu'y a-t-il?

Mais avant que je ne puisse parler de Roberta à Jacob, Gaëlle arrive.

— Est-ce que ça va, Henri? demande-t-elle.

Je la rassure :

— Oui, ça va. Enfin, pour le moment du moins.

— Que veux-tu dire? demande-t-elle.

— J'ai découvert quelque chose, dis-je. Quelque chose de terrible.

— Quelque chose de terrible? répète Janie qui vient

d'arriver avec Lucas. Tu n'es pas malade au moins, Henri?

— Non, dis-je. Enfin, pas encore en tout cas. Mais je le serai bientôt si Roberta met son plan à exécution.

— Roberta? dit Janie. Comment ça, Roberta? Qu'a-t-elle fait?

Je m'écrie :

— Ce n'est pas tant ce qu'elle a fait que ce qu'elle s'apprête à faire!

— J'ai peur, dit Lucas.

— Moi aussi, Lucas, lui dis-je.

— Vas-tu nous dire, oui ou non, ce que tu sais au sujet de Roberta? demande Gaëlle.

— Je vais vous le dire, dis-je, mais vous devez me promettre de me croire, même si ce que je vais vous raconter vous semble complètement fou.

— Comment peut-on promettre de te croire si on ne sait pas ce que tu vas dire? soulève Jacob. Tu pourrais dire quelque chose comme, voyons voir… que noir est blanc… ou que gauche est droite… ou qu'en haut est en bas… et alors on serait porté pour le restant de nos jours à croire en quelque chose de fou juste parce qu'on a promis de croire ce que tu allais dire avant de savoir ce que c'était.

Je leur lance :

— C'est bon, c'est bon. Écoutez-moi alors. Hier, après la classe, j'ai lu par accident le journal intime de Roberta et j'ai découvert…

— Tu as lu le journal de Roberta? m'interrompt Janie, scandalisée.

— Oui, dis-je, par accident. Mais ça n'a pas d'importance...

— Oui, ça en a, reprend Janie. Le journal des autres, c'est personnel et c'est très important de respecter la vie privée des autres.

Je rétorque :

— Je sais, mais il était ouvert et...

— Le fait qu'il était ouvert n'est pas une excuse, Henri. Une chose pareille ne se fait pas à l'école Sudest de Nordouest de Centreville. Et tu le sais.

— Je le sais, dis-je, mais...

— Ma mère dit qu'on ne doit jamais lire le journal de quelqu'un sans...

Alors, je l'interromps :

— Je me fiche de ce que dit ta mère, Janie! Ce n'est pas ça, l'important! L'important, c'est...

— Tu n'as pas besoin de crier, Henri, réplique Janie. Ma mère dit que les gens qui crient sont...

Je l'interromps encore :

— Voulez-vous entendre ce que j'ai découvert, oui ou non?

— Oui! répond Gaëlle.

Je leur annonce donc :

— Roberta est un robot!

Janie, Gaëlle, Jacob et Lucas me dévisagent.

— Un robot? répète Jacob.

— Oui, dis-je. Elle l'a écrit dans son journal. D'ailleurs, elle ne s'appelle pas Roberta. En réalité, elle s'appelle

Robota.

— Henri, ne sois pas ridicule, dit Janie.

Je lui demande :

— L'as-tu déjà vue sourire?

— Non, répond Janie. Mais ça ne veut pas dire que c'est un robot!

— Mais si! dis-je. Elle ne sourit pas parce qu'elle n'a aucun sens de l'humour et elle n'a aucun sens de l'humour parce qu'elle est un robot et que les robots n'ont aucun sens de l'humour. C'est donc la preuve que Roberta est un robot!

— Attends un peu, Henri, intervient Jacob. Pas si vite. Et que fais-tu de Robbie le Robot? C'est un robot et il est vraiment amusant!

Robbie le Robot est l'émission de télévision préférée de Jacob. Il est un peu trop vieux pour l'écouter, mais il l'adore quand même.

Je proteste :

— Robbie le Robot n'est pas un vrai robot! C'est un robot de dessin animé! Roberta, elle, est bien réelle. Regarde la vérité en face! Elle a une mémoire photographique et elle est vraiment intelligente... Les robots ont une mémoire photographique et sont vraiment intelligents. Elle ne nous raconte rien à propos de son ancienne école ni de ses amis parce qu'elle n'est jamais allée à l'école et qu'elle n'a pas d'amis... Les robots sont construits dans des usines à robots et ils n'ont pas d'amis parce qu'ils sont des robots! Elle n'a pas eu peur de cette araignée, ce qui veut dire qu'elle ne connaît pas la peur... Les robots ne connaissent pas la peur. Enfin, nous ne l'avons jamais vue sourire, ce qui nous permet de dire qu'elle est supersérieuse... Et justement, les robots sont supersérieux.

— Sauf Robbie le Robot, dit Jacob. Il n'est jamais sérieux!

— Jacob, dis-je, cesse de faire le pitre. Ceci est sérieux!

— Sérieux à quel point? demande-t-il.

Je lui réponds :

— Supersérieux!

— Oh, bonté divine, s'écrie Jacob. Tu es supersérieux! Ça veut dire que toi aussi, tu es peut-être un robot!

Tous les autres sourient... sauf Lucas. Il a trop peur.

— O. K., c'est bon, dis-je en ne relevant pas le sarcasme de Jacob. Dans ce cas, comment expliquez-vous le fait qu'elle ne veut pas parler de son ancienne école?

— Je ne sais pas, répond Jacob. Peut-être parce qu'elle ne veut pas en parler. Peut-être qu'elle a passé de mauvais moments là-bas et qu'elle préfère ne pas en parler. Nous sommes dans un pays libre, tu sais. Si tu ne veux pas parler de quelque chose, tu n'es pas obligé de le faire.

— Et peut-être, dis-je, mais je dis bien peut-être, qu'elle ne veut pas en parler parce qu'elle vient d'une usine de robots!

— Es-tu sérieux, Henri? demande Gaëlle.

— Oui! dis-je. Autant que Robota!

— Je crois que tu réagis de façon excessive, déclare Janie.

Je leur crie à tue-tête :

— JE NE RÉAGIS PAS DE FAÇON EXCESSIVE!

— Oui, c'est ce que tu fais, dit Gaëlle.

Je réplique :

— Non, c'est faux. EN FAIT, JE NE ME SOUVIENS PAS D'UNE FOIS OÙ J'AI AUSSI PEU RÉAGI DE FAÇON EXCESSIVE QUE JE NE LE FAIS EN CE MOMENT!

— Je suis d'accord avec toi, Janie, dit Jacob en me dévisageant. Il réagit assurément de façon excessive.

Chapitre 15

Recherche sur les robots

La sonnerie annonçant notre première leçon de la matinée retentit. Pour nous, c'est l'heure de notre visite hebdomadaire à la bibliothèque de M. Sainte-Paix.

Il y a un bon et un mauvais côté à cela.

Le bon côté, c'est que cela va me permettre de faire une recherche sur les robots et de découvrir exactement ce que nous allons devoir affronter.

Le mauvais côté, c'est qu'avant de pouvoir véritablement entrer dans la bibliothèque, nous devons supporter un autre discours de M. Sainte-Paix concernant ce qu'il nous est défendu de faire avec les livres.

Nous attendons tous devant la porte. Il fait froid ce matin et tout le monde sautille sur place pour se réchauffer. Tout le monde sauf Roberta, qui reste debout, quasi immobile, à fixer la porte de la bibliothèque devant elle.

— Regarde-moi ça! dis-je à Jacob.

— Quoi?

— Elle ne sautille pas.

— Et alors?

Je réplique :

— C'est évident, non? Elle n'a même pas froid... parce que sa pile de robot la tient au chaud.

— Tu penses? Vraiment? demande Jacob. Tu ne crois pas plutôt que son manteau super chaud puisse y être pour quelque chose?

— Oui, mais c'est justement pour cacher le fait qu'elle a une pile, dis-je. Elle est rusée. Il faut vraiment que j'aille à la bibliothèque et que j'en apprenne plus au sujet des robots et de leurs particularités. Si nous voulons avoir une chance contre Roberta, nous devons nous munir d'un maximum de renseignements.

— Nous ne ferions pas mieux de nous munir de missiles chercheurs de robots plutôt? demande Jacob.

Je lui demande :

— Tu en as sous la main?

— Non.

— Dans ce cas, on va se contenter de renseignements. On doit tout savoir au sujet des robots : comment ils se déplacent, ce qu'ils mangent, comment ils pensent, ce qu'ils portent, ce qu'ils regardent à la télé… tout ce qu'on peut trouver, quoi!

— Tu crois que les robots regardent la télé? demande Gaëlle.

— Je ne sais pas! dis-je. C'est ce qu'on doit découvrir!

— Pourquoi ne demande-t-on pas à Roberta, tout simplement? lance Jacob. Elle doit le savoir… puisqu'elle est un robot, selon toi!

Je déclare :

— On ne peut pas lui demander bêtement si les robots regardent la télé. Elle va se douter de quelque chose.

— Pas si on s'y prend comme il faut, dit Jacob. J'ai juste à lui dire : « Hé, Roberta, as-tu regardé *Robbie le Robot* hier soir à la télé? » et si elle me répond qu'elle n'a pas regardé la télé, alors on saura avec certitude qu'elle n'est pas un robot, parce que tous les robots regarderaient *Robbie le*

44

Robot.

— Ça ne va pas, commente Lucas. Ça ne signifierait pas que les robots ne regardent pas la télé… mais peut-être juste qu'elle était trop occupée hier soir pour regarder la télé.

— Qu'est-ce qui pourrait occuper un robot au point de l'empêcher de regarder *Robbie le Robot?* se demande Jacob à voix haute.

— Mince, je l'ignore, Jacob! dis-je avec ironie. Un robot superévolué et superintelligent peut être trop occupé à planifier la destruction du monde, par exemple. Quelque chose de banal comme ça.

M. Sainte-Paix finit par ouvrir la porte de la bibliothèque. Il sort, referme la porte derrière lui et nous regarde tous d'un air sévère. Puis il se lance dans la partie trois mille cinq cent soixante-deux de son discours infini au sujet de ce qu'il est interdit de faire aux livres de la bibliothèque.

— Bonjour, 5B, dit-il. J'aimerais vous rappeler à tous que vous vous apprêtez à entrer dans une bibliothèque et non un terrain de jeu. Il y a de très fortes chances pour que plusieurs d'entre vous tombent sur un livre dans cette bibliothèque. Les livres sont des objets d'une valeur inestimable et, comme tous les objets de valeur inestimable, vous devez les traiter avec le plus grand respect. Est-ce bien clair?

— Oui, monsieur Sainte-Paix, acquiesçons-nous poliment.

Il vaut mieux ne pas le contrarier quand il fait son discours. Sinon, son blabla risque de durer encore plus longtemps.

Encouragé par notre réponse, M. Sainte-Paix

poursuit.

— N'ouvrez pas, sous aucun prétexte, la couverture d'un livre avec violence. Ne tournez pas les pages d'un livre trop rapidement : c'est comme ça que les pages se déchirent et que les livres s'abîment. Et nous ne voulons pas que les pages se déchirent et que les livres s'abîment. Ne lisez pas un mot de trop près ni plus d'une fois : ça fait disparaître les caractères et le lecteur suivant n'arrive plus à les voir. Jacob Lepitre, est-ce que tu m'écoutes?

Nous nous tournons tous vers Jacob.

Il est évident qu'il s'intéresse davantage à l'avion qui passe au-dessus de l'école qu'au discours de M. Sainte-Paix. Il n'a même pas entendu M. Sainte-Paix prononcer son nom.

Je lui donne un coup de coude.

— Quoi? fait-il.

Je hoche la tête en direction de M. Sainte-Paix.

— Jacob Lepitre! répète M. Sainte-Paix. Tu n'as pas entendu un seul mot de ce que j'ai dit, pas vrai?

— Mais si, monsieur, répond Jacob.

— Alors nomme-moi une des choses qu'il ne faut pas faire à un livre parmi celles que je viens d'énumérer, dit M. Sainte-Paix.

— On ne doit pas frapper quelqu'un sur la tête avec un livre, sans quoi tous les mots qu'il contient vont en tomber, déclare Jacob.

— Faux! lance M. Sainte-Paix.

— On peut frapper quelqu'un sur la tête avec les livres? demande Jacob en s'égayant soudainement.

— Non! s'écrie M. Sainte-Paix. Sûrement pas. Mais je n'avais pas encore mentionné ce fait! À présent, je vais devoir recommencer et répéter tout depuis le début juste pour toi.

Nous poussons tous un grognement alors que M. Sainte-Paix reprend son sermon.

— J'aimerais vous rappeler à tous — et particulièrement à toi, Jacob Lepitre — que vous vous apprêtez à entrer dans une bibliothèque...

Chapitre 16

Liste de M. Sainte-Paix des 10 choses principales à ne JAMAIS faire avec un livre

1. Nouer deux cordes à un livre et attacher l'extrémité de chacune des cordes à un cheval, puis faire avancer les chevaux dans des directions opposées jusqu'à ce que les cordes soient bien tendues et que le livre se déchire en deux.
2. Pulvériser un livre en atomes, puis pulvériser ces atomes en quarks, puis pulvériser ces quarks en particules encore plus petites, tellement petites qu'elles n'ont même pas encore de nom.
3. Lécher tous les caractères d'un livre, peu importe leur goût.
4. Mettre un livre dans un aquarium, même si c'est un livre qui traite des poissons.
5. Déchirer les pages d'un livre en minuscules morceaux, puis les lancer en l'air pour simuler une tempête de neige.
6. Utiliser les pages d'un livre pour faire des animaux en origami.
7. Fixer des roues à un livre et l'utiliser comme planche à roulettes.

8. Utiliser un livre comme bouclier pendant un combat à l'épée.

9. Utiliser un livre comme chapeau lors d'une journée pluvieuse.

10. Placer un livre dans une fusée et l'envoyer dans l'espace. (L'absence de gravité est très mauvaise pour les livres : tous les mots se détachent des pages et se mettent à flotter dans l'air.)

Chapitre 17

La mouche-robot

Finalement, M. Sainte-Paix nous laisse entrer dans la bibliothèque après avoir déblatéré en long et en large pendant une autre demi-heure sur ce qu'il ne faut pas faire aux livres.

Je me dirige droit vers les livres traitant des robots, dans la section des documentaires.

Mais il n'y a aucun livre sur les robots.

Il n'y a aucun livre sur les automates non plus.

Ni sur les cyborgs.

Ni sur les drones.

Il n'y a aucun livre qui traite des robots : juste un gros espace vide sur la tablette où se trouvent habituellement les livres sur les robots.

Je déteste embêter M. Sainte-Paix, qui est très occupé à arpenter la bibliothèque pour rappeler aux élèves d'être silencieux, mais je n'ai pas le choix.

— Excusez-moi, monsieur Sainte-Paix, dis-je, mais je ne trouve aucun livre sur les robots.

— Non, dit M. Sainte-Paix. Roberta les a tous empruntés.

Je répète :

— Tous?

Je n'arrive pas à le croire. Elle m'a déjà devancé.

— Oui, c'est exact, Henri, dit M. Sainte-Paix.

— Mais la limite d'emprunt est de trois livres par élève, fait remarquer David, qui a surpris notre conversation. C'est même écrit sur l'affiche devant la bibliothèque.

— C'est vrai, dit M. Sainte-Paix, mais j'ai accordé une permission spéciale à Roberta. Elle a pu emprunter plus de livres que la limite permise en retour du service qu'elle m'a rendu en rangeant les livres sur les tablettes avant la classe, ce matin. Je n'ai jamais vu quelqu'un ranger les livres aussi vite et aussi efficacement! Elle connaît le système de classification décimale Dewey par cœur, n'est-ce pas, Roberta?

— Oui, répond Roberta en levant les yeux. Mais il n'y a rien d'extraordinaire à ça. Comparé à son rival, le système de classification de la bibliothèque du Congrès, le système Dewey est la simplicité même. N'importe qui peut l'apprendre s'il s'en donne la peine.

Pendant que M. Sainte-Paix sourit, béat d'admiration devant Roberta, je m'éloigne et vais m'asseoir avec les autres, en tambourinant rageusement sur la table.

— Que se passe-t-il, Henri? demande Janie, compatissante comme à son habitude.

— C'est Roberta, le problème, voilà ce que c'est, dis-je. Non seulement elle connaît le système de classification décimale Dewey par cœur, mais en plus, elle a emprunté tous les livres sur les robots afin que personne d'autre ne puisse les consulter!

— Peut-être qu'elle aime simplement les livres sur les robots, avance Janie. Avais-tu pensé à ça?

Je réplique d'un ton sec :

— Cesse de lui trouver des excuses, Janie! Il est évident qu'elle a agi ainsi pour empêcher quiconque d'apprendre des choses à son sujet! Il y a sûrement des photos d'elle dans ces livres. Pour ma part, je pense que si nous avions besoin d'une preuve supplémentaire attestant qu'elle est un robot, eh bien, nous l'avons maintenant.

— Pour ma part, je pense que tu te laisses emporter par ton imagination, Henri. Roberta est une fille parfaitement normale qui éprouve juste un peu de difficulté à s'intégrer et à se faire des amis. Et toi, tu ne lui facilites pas du tout la tâche avec ces histoires de robots.

Je lui demande :

— Es-tu sûre de ça?

— Oui, répond Janie avec aplomb. J'en suis sûre.

— Très bien, dis-je. Alors si c'est vrai, que fait cette mouche ici?

— Quelle mouche?

— Celle qui est sur la fenêtre, derrière toi.

Tout le monde se tourne pour regarder la mouche sur la fenêtre. J'ai remarqué qu'elle est là depuis un long moment. Depuis plus longtemps qu'une mouche ne reste au même endroit normalement.

— Qu'est-ce qu'elle a? demande Jacob. Elle est probablement juste en train d'admirer la vue.

Je murmure :

— C'est une mouche-robot.

— C'est quoi, une mouche-robot? demande Gaëlle.

— C'est un espion robot qui a la forme d'une mouche. C'est Roberta qui doit l'avoir mise là. Elle doit enregistrer chacune de nos paroles.

— J'ai peur des mouches-robots, lance Lucas en se levant précipitamment et en se préparant à fuir les lieux.

Je murmure à nouveau :

— Ne bouge pas, Lucas. Ne fais aucun geste suspect. En ce moment même, elle est probablement en train de transmettre de l'information à la banque de données de Roberta... Jacob, que fais-tu?

Jacob s'est levé et il se dirige vers la fenêtre.

— Je veux juste la voir de plus près, dit-il. Je veux vérifier s'il s'agit vraiment d'une mouche-robot comme tu l'affirmes.

— Es-tu fou? dis-je. Assieds-toi! Bien sûr que c'est une mouche-robot! Elle est là depuis longtemps!

À l'instant même où je prononce ces mots, la mouche s'envole.

Je réagis vite, mais Jacob réagit encore plus vite que moi.

Il lance ses bras en l'air et attrape la mouche dans le creux de ses mains.

J'affirme alors :

— Tu commets une grave erreur. On ne rigole pas avec les mouches-robots. Elle est peut-être programmée pour s'autodétruire.

Jacob écarte lentement ses mains, mais sa mine triomphale passe subitement à l'horreur quand il fixe ses paumes ouvertes.

— Oh, beurk! s'écrie-t-il. Je l'ai écrasée.

Je lui demande alors :

— Vois-tu des fils, des caméras minuscules et des micros?

— Non, dit Jacob en tendant ses mains pour nous montrer. Juste des entrailles de mouche normale.

— Pouaaah! lâche Janie. Pauvre petite bête. Es-tu fier de toi maintenant, Henri?

53

— Ne me blâme pas, dis-je. C'est Jacob qui l'a écrabouillée.

— Sans faire exprès! proteste Jacob.

— Ce qui prouve quand même une chose, dit Janie. C'est que les mouches-robots n'existent pas.

— Ça ne prouve rien du tout! Cette mouche n'était probablement qu'un leurre. La vraie mouche-robot doit être encore quelque part dans les parages. Je vous ai dit que Roberta était rusée.

— Mais qu'est-ce qui te permet d'affirmer qu'il existe bel et bien une mouche-robot pour commencer? demande Gaëlle.

Je m'exclame alors :

— Parce que Roberta est un robot!

— Henri, tu dois te ressaisir, déclare Janie. Ma mère dit que parfois, on ne voit que ce qu'on veut voir plutôt que ce qui se trouve vraiment sous nos yeux.

— Peut-être, dis-je. Mais ma mère dit que le contraire peut également être vrai : parfois, on ne voit pas ce qui se trouve sous nos yeux parce qu'on est trop occupés à ne pas voir ce qu'on ne veut pas voir.

— Ta mère dit ça pour de vrai? demande Janie.

— Pas vraiment, dis-je, mais si elle était ici en ce moment, je suis sûr qu'elle le dirait.

— Ça devient mêlant, déclare Jacob. Je vais aller me laver les mains et me débarrasser de ces entrailles de mouche.

— J'ai peur! s'écrie Lucas.

Lucas a peut-être peur, mais pas autant que moi en ce moment-même.

Chapitre 18

Histoire d'histoires

Après la bibliothèque, nous retournons en classe et travaillons sur nos histoires.

Enfin, pour être plus précis, certains d'entre nous travaillent sur leur histoire.

Olivier passe le plus clair de son temps à lancer des boulettes de papier mouillé partout dans la classe et à menacer de dénoncer à son frère tous ceux qui trouvent inadmissible d'être bombardés de boulettes de papier mâché humides.

Jacob se balance sur les pieds arrière de sa chaise en regardant par la fenêtre.

Guillaume a déroulé sur son pupitre une grande feuille de papier sur laquelle est dessiné quelque chose qui ressemble à un plan. Il utilise sa règle et sa calculatrice, travaillant sans doute à une nouvelle invention. Guillaume est toujours en train de travailler à une nouvelle invention dingue. Son père est un inventeur. J'imagine que c'est de famille.

Gina et Paméla dessinent des chevaux.

Gaëlle s'exerce à plier un morceau de tuyau en acier.

Lucas reste assis à observer Roberta, l'air effrayé. Janie est agenouillée à côté de son pupitre et tente de l'apaiser.

Je fais de mon mieux pour me concentrer sur mon histoire et je parviens à mettre quelques idées sur papier, mais pour vous dire la vérité, je ne pourrais inventer une histoire qui soit plus incroyable que la véritable histoire de Roberta et de son plan pour nous exterminer tous et nous remplacer par des robots!

En fait, la seule personne qui travaille vraiment sur son histoire, c'est Roberta. Pour quelqu'un qui n'a jamais écrit d'histoire auparavant, elle semble avoir pigé assez vite comment s'y prendre.

Elle écrit avec intensité, remplissant page après page après page. On dirait une machine à écrire. Rien de plus normal, après tout : elle est une machine!

J'essaie désespérément d'apercevoir ce qu'elle écrit, mais chaque fois que je me trouve une excuse pour passer près de son pupitre, elle est penchée sur son travail, son bras replié sur sa page pour la protéger des regards indiscrets. Elle ne veut rien révéler.

Je reviens d'emprunter une règle à Janie et suis en train de passer très lentement près de son pupitre quand Roberta lève la main.

Je pense d'abord qu'elle va dire à M. Desméninges que j'essaie de voir son histoire, mais j'ai tort.

— Excusez-moi, monsieur Desméninges, dit-elle. Est-ce que je peux vous voir au sujet de mon histoire?

— Bien sûr, Roberta! Discuter de ton histoire est une excellente façon de la développer et de l'améliorer. Apporte-la-moi et jetons-y un coup d'œil!

Roberta se lève, avance jusqu'au bureau de M. Desméninges et dépose une liasse de feuilles devant lui.

— Ma parole, tu as travaillé fort, déclare-t-il en s'emparant des feuilles et en les soupesant dans sa main.

— J'ai simplement suivi vos instructions, répond Roberta. J'espère que ça convient. Est-ce que j'ai trop écrit?

— Non, non, pas du tout! s'empresse de répondre M. Desméninges en feuilletant les pages. En fait, c'est formidable!

Roberta a l'air embarrassée.

— Je me suis, disons, laissé emporter par mon récit au fur et à mesure que j'écrivais...

M. Desméninges hoche la tête, déjà trop absorbé par sa lecture pour lui répondre.

Il lit toute l'histoire dans un profond silence.

— Félicitations, Roberta, dit-il lorsqu'il a fini. C'est une super histoire!

— Vous le pensez vraiment?

— Oui! affirme-t-il. Je le pense vraiment! Es-tu certaine de ne jamais avoir écrit d'histoire auparavant?

— Non, c'est la première fois.

— Eh bien, c'est la meilleure première histoire que j'aie jamais lue. À vrai dire, c'est l'une des meilleures histoires que j'aie jamais lues.

Aïe.

Ça, ça fait mal.

Roberta vient tout juste d'arriver à notre école. Et en plus, elle n'a jamais écrit d'histoire auparavant.

C'est impossible que son histoire soit meilleure que l'une des miennes.

Enfin, ce n'est pas pour me vanter, mais je suis probablement le meilleur écrivain de toute l'école.

J'ai même remporté la première place au concours de nouvelles de *La Chronique de Nordouest*, alors, c'est tout dire!

À moins, bien sûr, d'être un robot et d'avoir un cerveau équipé du dernier logiciel de rédaction d'histoires... ce qui m'apparaît comme la seule explication possible.

Roberta se rassoit à son pupitre.

Je meurs d'envie de voir ce qu'elle a écrit et qui a enthousiasmé M. Desméninges à ce point.

Je me penche vers son pupitre et lui demande :

— Puis-je lire ton histoire?

Roberta a l'air surprise.

— Non, répond-elle. Elle n'est pas encore terminée.

— Mais tu l'as montrée à M. Desméninges, dis-je.

— Je sais, mais c'est notre enseignant.

Je la rassure en la voyant se pencher au-dessus de son pupitre :

— Ne t'inquiète pas, Roberta. Je ne vais pas te voler tes idées.

— Je sais, répond-elle, parce que tu ne vas pas les voir. Aucune d'elles.

Je lui demande :

— Pourquoi ça? Pourquoi ne me laisses-tu pas les voir?

— Je te l'ai déjà dit, répond-elle. Parce que mon histoire n'est pas terminée.

— C'est bon, dis-je. J'aurais pu la lire et peut-être te donner des idées pour t'aider à la terminer. Je suis vraiment bon pour les fins.

— Non merci, dit-elle. Je ne veux pas te causer de problèmes.

Je lui dis alors :

— Ce n'est pas un problème.

Roberta continue à secouer la tête et à se coucher sur son histoire afin que je ne puisse rien voir, même pas la moindre lettre.

C'était déjà moche d'avoir dans l'école un robot de l'avenir, superévolué et superintelligent, dont l'intention est d'exterminer les êtres humains, mais c'est encore pire d'avoir une nouvelle rivale écrivaine surdouée dans ma propre classe.

Chapitre 19

Une rivale robot

Ce jour-là, à l'heure du dîner, je m'assois avec ma bande d'amis et je fixe mon sandwich au fromage.

— Que se passe-t-il, Henri? demande Janie. Pourquoi ne manges-tu pas?

— Je n'en ai pas envie.

— Je peux prendre ton sandwich? demande Gaëlle. Je meurs de faim!

— Bien sûr, dis-je en le lui tendant.

— Henri est fâché parce que Roberta a écrit une histoire meilleure que la sienne, résume Jacob.

Je lance :

— Non, c'est faux!

— Dans ce cas, comment se fait-il que je n'ai pas entendu M. Desméninges dire à quel point ton histoire était bonne? demande Jacob.

— Parce que je ne la lui ai pas montrée, dis-je. Je sais que mes histoires sont bonnes. Et M. Desméninges le sait aussi.

— Ouais, mais pas aussi bonnes que celle de Roberta, réplique Jacob en souriant.

— Eh bien, peut-être que si j'étais un robot superévolué

doté d'un logiciel superévolué pour écrire des histoires, mes histoires seraient aussi bonnes que les siennes, dis-je. Roberta est un robot. C'est la seule explication qui tienne la route! En voilà une preuve supplémentaire!

— Es-tu en train de dire que seul un robot superévolué doté d'un logiciel superévolué pour écrire des histoires peut écrire mieux que toi? demande Jacob.

— Eh bien, euh, hum... non, bien sûr que non, dis-je. Enfin... oui!

— Oh, non! soupire Gaëlle. Ne me dis pas que tu crois encore que Roberta est un robot?

— Oui et vous devez me croire, dis-je. Avant qu'il ne soit trop tard!

— Trop tard pour quoi? demande Lucas.

Je m'exclame :

— Je vous l'ai déjà dit! Avant l'extermination totale de tous les humains du monde entier!

— Mince! s'écrie Lucas.

— Henri, intervient Jacob, blague à part, la seule personne pour qui ce sera trop tard, c'est toi, si tu n'arrêtes pas de dire des bêtises.

— Bien dit, Jacob, approuve Janie. Roberta est une fille parfaitement gentille qui fait de son mieux pour s'intégrer.

— Continue à penser ça si ça t'amuse, dis-je. Jusqu'à tant qu'elle te zigouille à l'aide d'une quelconque arme de l'avenir superévoluée, que ta tête craque et s'ouvre comme un œuf, et que ta cervelle encore chaude te coule sur le visage.

— Henri! s'écrie Janie. Regarde ce que tu as fait à présent!

Je regarde.

Oh, super!

Lucas s'est évanoui.

Chapitre 20

Levez la main si vous aimez le cellophane!

Après le dîner, la plupart des enseignants de Sudest de Nordouest de Centreville ont l'air d'être mûrs pour faire la sieste, mais pas M. Desméninges.

Il entre dans la salle de classe, nous adresse à tous un grand sourire et crie :

— LEVEZ LA MAIN SI VOUS AIMEZ LE CELLOPHANE!

Nous le fixons tous sans comprendre.

— Le cellophane? demande Florence.

— Le cellophane! répète M. Desméninges.

Personne ne lève la main. C'est clair, le cellophane n'a pas la cote dans la classe 5B.

— Laissez-moi vous reformuler ça, propose M. Desméninges. Levez la main si vous aimez regarder à travers le cellophane!

Quelques personnes lèvent la main.

— C'est ce que je pense aussi, déclare M. Desméninges. Le monde serait un endroit bien plus agréable si nous passions tous cinq minutes par jour à le regarder à travers un morceau de cellophane coloré!

— De quelle couleur? demande Florence, son cahier déjà ouvert et son crayon prêt à prendre des notes.

— Aucune importance! répond M. Desméninges en plongeant la main dans une boîte de laquelle il sort des feuilles de cellophane. Rouge, vert, bleu, jaune... choisissez!

M. Desméninges se promène dans les allées en nous tendant la boîte.

— Prenez-en quelques morceaux et regardez à travers. Constatez à quel point le monde semble différent.

Je choisis d'abord un morceau rouge et je le porte à mes yeux.

C'est incroyable.

Tout semble exactement comme d'habitude et, en même temps, complètement différent.

Cette dernière phrase doit vous sembler bien insensée, mais croyez-moi, c'est vrai. Et si vous ne me croyez pas, essayez par vous-mêmes. Vous verrez bien.

Peu de temps après, nous nous amusons tous à regarder autour de la classe, par la fenêtre ou à nous regarder les uns les autres à travers des morceaux de cellophane coloré... enfin, tous sauf Roberta.

Elle reste assise à sa place avec un air légèrement perplexe. Un rectangle de cellophane vert se trouve devant elle, sur son pupitre.

— Allez, Roberta. Prends-le et regarde à travers, dit M. Desméninges, qui regarde lui-même à travers un morceau de cellophane jaune.

— Pourquoi? demande-t-elle.

— Tu vas voir le monde sous un jour complètement différent.

— Et pourquoi je voudrais faire ça?

— Parce que c'est intéressant!

— Hum... fait Roberta sans enthousiasme.

Elle lève le morceau de cellophane et regarde à travers.

— À part la teinte verte, tout est pareil, exactement comme je m'y attendais, déclare-t-elle en déposant le morceau de cellophane. Je ne comprends pas le but de cet exercice. Sommes-nous en train de vérifier une hypothèse scientifique quelconque?

— Non, réplique M. Desméninges. C'est juste pour s'amuser!

— Aurons-nous un test là-dessus, monsieur? demande Florence.

— J'ai bien peur que non, Florence, répond M. Desméninges. Ce n'est pas le genre de chose qu'on peut tester... c'est simplement quelque chose qu'on doit expérimenter.

Florence soupire bruyamment.

À ce moment-là, on frappe à la porte.

M. Desméninges va ouvrir tout en continuant à tenir le morceau de cellophane jaune devant ses yeux.

C'est M. Barbeverte, le directeur.

Nous bondissons tous sur nos pieds pour nous mettre au garde-à-vous et le saluer... sauf M. Desméninges qui continue à dévisager le directeur.

— Bon sang! s'écrie-t-il. Que vous arrive-t-il? On dirait que vous souffrez d'une terrible maladie!

— Oh, non! s'exclame M. Barbeverte en affichant immédiatement un air inquiet. Croyez-vous que c'est le scorbut?

— Je ne suis pas médecin, dit M. Desméninges, mais à voir votre teint jaunâtre, je dirais plutôt que vous avez une

65

sorte de jaunisse.

— Que le diable m'emporte! s'écrie M. Barbeverte.

— Allons, intervient Roberta. Il n'y a pas lieu de paniquer. Si la peau de M. Barbeverte paraît jaune, c'est parce que vous la regardez à travers un morceau de cellophane jaune.

— Allons donc! lance M. Desméninges en baissant le cellophane et en le fixant comme s'il n'avait aucune idée comment celui-ci avait abouti dans sa main. J'oubliais. Je vais essayer avec un morceau rouge plutôt.

M. Desméninges sort un morceau de cellophane rouge de sa poche et le place devant ses yeux.

— Ah, c'est bien mieux! Vos joues sont assurément rouges. Vous êtes l'image même d'un homme en pleine santé, monsieur Barbeverte!

— Content de l'entendre! réplique gaiement le directeur.

—Alors, comment pouvons-nous vous aider?

— Eh bien, je faisais une petite ronde d'inspection et j'ai trouvé des trucs qui ne sont pas encore impeccables. Les juges du concours de l'école la plus propre seront ici d'un jour à l'autre. Je me demandais, si vous n'êtes pas trop occupés bien sûr, si vous pourriez me prêter une petite équipe de nettoyage pour ramasser les déchets et nettoyer le pont?

— Certainement, dit M. Desméninges. Nous serions ravis de vous aider! Henri, Jacob, Lucas, Gaëlle, Janie et Roberta, avancez-vous pour une corvée de nettoyage, s'il vous plaît.

Nous nous levons tous et saluons M. Barbeverte. Il nous salue à son tour, puis s'adresse à M. Desméninges.

— Puis-je avoir un morceau de cellophane, s'il vous plaît?

— Bien sûr! répond M. Desméninges.

— Un rouge, si c'est possible.

— Tenez! dis-je. Prenez le mien!

— Merci, Henri, mon garçon! répond le directeur en plaçant le morceau devant ses yeux. Ah, oui! C'est magnifique! Cela me rappelle le temps où je naviguais sur les mers du Sud. Les couchers de soleil étaient splendides... d'un rouge sang radieux... jamais vu rien de pareil depuis... jusqu'à maintenant, bien sûr!

Sur ces paroles, M. Barbeverte fait demi-tour et s'éloigne dans le corridor en gardant le cellophane devant ses yeux.

— Radieux! l'entendons-nous s'exclamer. Radieux!

Chapitre 21

1re grande leçon de M. Desméninges qui ne concerne pas les blagues

Le monde serait un endroit bien plus agréable si nous passions tous cinq minutes par jour à le regarder à travers un morceau de cellophane coloré.

Chapitre 22

L'art de nettoyer la cour d'école selon Roberta

Une fois dehors dans la cour, nous restons plantés devant le fouillis et le fixons avec un air sombre. Le seul qui semble ravi, c'est Brigand qui, comme d'habitude, flaire les lieux à la recherche de quelque chose à dévorer.

Roberta ne semble pas du tout découragée par la tâche monumentale qui nous attend. Mais je ne m'attendais pas à ce qu'elle le soit. Après tout, c'est un robot.

— Alors, qu'attendons-nous? demande-t-elle. S'il y a une tâche à accomplir, il faut s'y mettre le plus vite et le plus efficacement possible.

Je murmure à l'oreille de Jacob :

— Elle parle comme un vrai robot.

Il sourit et secoue la tête.

— Je ne veux pas ramasser des déchets, se plaint Lucas. J'ai peur des microbes qui grimpent sur mes mains.

— Sers-toi d'un bâton, répond Roberta.

— Que veux-tu dire? demande Jacob.

Roberta traverse la pelouse et cherche quelque chose sous les arbres pendant un moment. Elle revient avec cinq longs bâtons dont elle taille en pointe l'un des bouts. Quand elle a fini, elle nous en donne chacun un.

— Que fait-on avec ça? demande Lucas.

— Je vais vous montrer, déclare Roberta en prenant son bâton.

En un clin d'œil, elle a harponné un cœur de pomme, un bout de pain, un mouchoir chiffonné et une pelure de banane. Elle met son bâton dans la poubelle, puis le fait glisser le long du rebord en appuyant. Les déchets tombent dans la poubelle sans que des mains d'humain, enfin, de robot, les aient touchés.

— Vous voyez? dit Roberta. C'est facile. Et pas de microbes.

Lucas pique délicatement un morceau de pain avec son bâton. Il le soulève et le met dans la poubelle.

— Hé! s'écrie-t-il, ça fonctionne!

Puis il se fige soudainement.

— Et si les microbes quittaient le déchet, rampaient le long du bâton et sautaient ensuite sur mes mains?

Roberta hausse les épaules.

— Je ne crois pas que ce soit possible, dit-elle. Les microbes ne rampent pas. Pour commencer, ils n'ont ni bras ni jambes : ils n'ont que des fibres microscopiques qui les aident à se déplacer dans le liquide, mais qui ne leur seraient d'aucune utilité sur une surface solide comme un bras, par exemple. Tant que tu ne touches pas le bout du bâton, tu ne risques rien. Mais même s'il t'arrivait de toucher à un déchet, Lucas, tu n'aurais qu'à te laver les mains à l'eau tiède et au savon.

— Ça ne marche pas, objecte Jacob, parce que tu dois ouvrir le robinet avec tes mains couvertes de microbes et après, tu dois fermer le robinet avec tes mains propres, et les microbes que tu as laissés sur le robinet retournent sur tes mains propres et les contaminent à nouveau.

— Je comprends, dit Roberta, mais je crois qu'il existe une solution assez simple à ce problème.

— Vraiment? demande Lucas.

— Mais oui! lance Roberta. Après avoir lavé tes mains, tu laves la poignée du robinet, puis tu relaves tes mains et enfin, tu fermes le robinet propre avec tes mains propres. C'est tout simple!

— Ah, ouais! approuve Jacob en hochant la tête et en souriant devant la logique de la solution de Roberta. Pourquoi n'y ai-je pas pensé moi-même?

Je lui murmure :

— Parce que tu n'es pas un robot superévolué et superintelligent. C'est pour ça!

Mais Jacob fait comme s'il n'avait rien entendu.

— Eh bien, dit Roberta, si vous n'avez pas d'objections, allons nettoyer cette cour.

Lucas, Jacob, Janie et Gaëlle se mettent aussitôt au travail aux côtés de Roberta, piquant méticuleusement les restes de nourriture et les morceaux de papier. En moins de deux, tous les cinq ont déjà nettoyé la moitié de la cour.

Je souffle à Janie :

— Que manigance-t-elle? Je me le demande bien!

— D'après moi, rien de plus que de nettoyer la cour à l'aide de bâtons pointus, réplique-t-elle du tac au tac.

— Ce n'est qu'une ruse, dis-je. Je vais te le dire, moi, ce qu'elle manigance : elle veut exterminer tous les humains et prendre le contrôle de l'école, puis celui du reste du monde et y instaurer la domination des robots pour l'éternité!

Janie roule de gros yeux.

— Je pense que tu es vraiment injuste avec elle! dit-elle. Ma mère dit qu'on devrait toujours chercher à voir le bon côté d'une personne, pas le mauvais.

Avant que je n'aie le temps d'expliquer à Janie que cela ne s'applique pas à Roberta parce qu'elle n'est pas une personne, mais un robot, un bruit fort retentit, suivi de jappements aux accents métalliques plutôt étranges.

— Oh, non! crie Janie d'une voix perçante. Brigand est tombé dans la poubelle!

Roberta s'élance aussitôt. Elle se rue sur la poubelle, y plonge les bras et en sort Brigand. Elle le dépose doucement sur le sol, où il se contente de cligner des yeux... tout en mâchouillant quelque chose. Il est clair que son tour dans la poubelle a valu la peine.

— Oh, pauvre chien! s'écrie Janie en l'enlaçant de ses deux bras.

Puis elle se tourne vers Roberta, les yeux brillants, et lui dit :

— C'était vraiment gentil de ta part... et très brave.

— Et très fort, ajoute Gaëlle en soulignant son approbation d'une bonne tape dans le dos de Roberta. Ça n'a pas dû être facile : ce chien bouffeur-de-déchets pèse une tonne.

Roberta hausse les épaules.

— J'ai fait ce que n'importe qui aurait fait dans les circonstances.

Je regarde mes amis qui, en dépit de mes avertissements à l'effet que Roberta est un robot maléfique, sont tous rassemblés autour d'elle pour la féliciter comme si elle était une sorte d'héroïne.

De toute évidence, cela fait partie de son plan diabolique : gagner la confiance des humains, les leurrer en leur inculquant un faux sentiment de sécurité, puis... les attaquer!

Eh bien, ils peuvent devenir membres de son club d'admirateurs s'ils le veulent, mais qu'ils ne comptent pas sur moi.

J'ai une mission à accomplir et je me fiche de l'ampleur de sa bravoure, de sa gentillesse ou de sa force. Je vais l'arrêter... avec ou sans leur aide.

Chapitre 23

Dessins

Finalement, je n'ai pas à tout faire moi-même.

Jacob est le premier à se rallier à moi. Cela se produit le lendemain matin, durant le cours d'arts plastiques de Mme Pastel.

Entrer dans le local d'arts plastiques de Mme Pastel, c'est comme pénétrer dans un autre monde. Le plafond du local est vraiment très haut et il est décoré d'étoiles et de planètes peintes, ainsi que d'une multitude de mobiles accrochés aux chevrons. Il y a des étagères remplies de contenants de peinture, de pinceaux, de pots de pâte à modeler et d'argile, de boîtes à œufs, de boîtes en carton et de tubes de toutes tailles et de toutes dimensions, de bouteilles en plastique, de papier d'aluminium et de piles de papiers de couleur.

Ce matin-là, Mme Pastel a installé à l'avant de la classe un gros bouquet de roses disposées dans un vase, sur un piédestal.

— Oh, quelles belles roses! s'exclame Janie en plongeant son nez dans le bouquet et en respirant leur parfum à fond. Et quel parfum capiteux!

— Contente de voir que tu les aimes à ce point, Janie, dit Mme Pastel, parce que nous allons les dessiner!

— Je ne suis pas capable de faire ça, dit Lucas.

— Mais bien sûr que tu peux, réplique Mme Pastel. Ce n'est pas si difficile.

— Non, vous ne comprenez pas, reprend Lucas en sortant à reculons du local d'arts plastiques. J'ai peur des roses.

— Mais les roses sont inoffensives, proteste Mme Pastel.

— Elles ont des épines, dit Lucas. Des épines pointues et piquantes!

— Allons, allons, dit Mme Pastel en prenant Lucas par les épaules et en le ramenant gentiment dans le local. Depuis le temps que j'enseigne les arts plastiques, je n'ai encore perdu aucun élève à cause des épines de roses. Tu n'as absolument rien à craindre.

— Vous me le promettez? demande Lucas.

— Je te le promets.

Mme Pastel installe Lucas à une table et lui met un crayon dans la main.

— À présent, calme-toi et dessine simplement ce que tu vois.

— Mais tout ce que je vois, ce sont les épines!

— Eh bien, dessine-les! répond Mme Pastel. Les épines sont tout aussi intéressantes et belles que les fleurs.

Non sans hésitation, en touchant à peine la feuille avec son crayon, Lucas commence à dessiner une rose plutôt petite, garnie d'épines incroyablement grosses.

— C'est superbe, Lucas, déclare Mme Pastel. Tu donnes vie à ta propre vision de la fleur. C'est merveilleux... tout simplement merveilleux.

Peu après, nous sommes tous occupés à dessiner

tranquillement... Enfin, tous sauf Roberta. Elle fixe le vide d'un air absent.

— Que se passe-t-il, Roberta? demande Mme Pastel. Pourquoi ne dessines-tu pas?

— Je ne sais pas comment faire.

— Dessine simplement ce que tu vois.

Roberta hausse les épaules.

— Je ne veux pas être impolie, dit-elle, mais quel est l'intérêt d'un tel exercice? Si on veut une image des fleurs en deux dimensions, pourquoi ne prend-on pas une photo?

Je donne un coup de coude à Jacob et lui murmure :

— Elle parle comme un vrai robot.

— Tu ne lâches donc jamais, toi? dit-il en levant les yeux de son dessin, lequel, je dois le reconnaître, est très réussi.

Jacob est de loin le meilleur de notre classe en dessin.

— En effet, non, je ne lâche jamais, dis-je. Et les robots non plus.

C'est alors que Roberta fait quelque chose qui m'étonne.

— D'accord, dit-elle en haussant les épaules. Je vais essayer.

— Très bien, la félicite Mme Pastel en lui tapotant le dos. Ça, c'est digne de l'esprit de Sudest de Nordouest de Centreville.

Roberta prend une règle et un crayon dans sa trousse à crayons et trace une grille sur sa feuille de papier. Une fois qu'elle a terminé, elle tend ses mains devant son visage comme pour faire un genre de cadre, j'imagine et regarde les fleurs au travers de l'espace ainsi formé. Puis elle remplit lentement la grille, carré par carré. Elle continue à travailler de cette façon, avec méthode et précision, jusqu'à ce qu'elle ait dessiné une image des fleurs qui, je dois l'admettre, est pratiquement aussi nette qu'une photo.

Le dessin de Jacob a beau être excellent, celui de Roberta est encore mieux.

— Oh, mon dieu! s'exclame Mme Pastel en soulevant le dessin de Roberta pour que nous puissions tous l'admirer. C'est vraiment particulier. Es-tu certaine de n'avoir jamais dessiné de roses avant?

— Non, jamais, répond Roberta. On ne faisait pas d'arts plastiques à mon ancienne école. On se consacrait davantage aux maths et aux sciences : des matières qui peuvent être évaluées et testées.

— Où cette école se trouve-t-elle? demande Mme Pastel.

Mais avant que Roberta ne puisse répondre, ou ne pas répondre, elle est interrompue par Florence.

— Aurons-nous un test là-dessus, madame? demande-t-elle, pleine d'espoir.

— Non, répond Mme Pastel. L'expérience est suffisante.

Florence soupire.

— L'expérience, c'est nul, marmonne-t-elle.

Pendant ce temps, Jacob est furieux. Il ne supporte pas d'être éclipsé aussi facilement par Roberta.

— Comment a-t-elle pu faire ça? lance-t-il en fixant son dessin avec incrédulité. Ce n'est pas humainement possible de dessiner aussi bien si on n'a jamais dessiné auparavant.

Je lui répète alors :

— Non, ce n'est pas humainement possible. C'est exactement ce que j'essaie de vous dire depuis le début!

Jacob hoche lentement la tête.

Il vient enfin de comprendre.

Je sens une bouffée de triomphe m'envahir.

Je ne suis plus seul désormais.

Un de gagné. Plus que trois à convaincre.

Chapitre 24

Tir au poignet

À l'heure du dîner, Jacob est encore furieux d'avoir été éclipsé par Roberta.

Nous sommes assis près du terrain de basket-ball et nous la regardons lancer le ballon, réussissant les paniers coup sur coup.

— Elle n'a raté aucun panier depuis qu'elle a commencé, fait remarquer Jacob. Je commence à croire qu'Henri a raison à propos d'elle.

— Jacob, pas toi aussi! s'écrie Janie. C'était déjà assez pénible d'avoir Henri qui croit à ces balivernes!

Jacob hausse les épaules.

— Je sais ce que tu veux dire. Au début, moi non plus je n'y croyais pas, mais personne ne peut faire ce que Roberta a fait pendant le cours d'arts plastiques. C'est impossible de produire un aussi beau dessin quand on dessine pour la première fois. Elle doit être un robot doté d'une sorte de logiciel de dessin superévolué!

— Elle est peut-être simplement une personne vraiment douée en dessin, propose Janie.

— Non, dit Jacob. Je suis une personne vraiment douée en dessin. Elle... est un robot!

— Il y a une manière facile de tirer ça au clair une fois pour toutes, déclare Gaëlle. Si elle est véritablement un robot, alors elle doit être dotée d'une force surnaturelle, pas

79

vrai?

J'approuve d'un hochement de tête.

— Oui, ça semble être une hypothèse plausible.

— Bon, je suis la personne la plus forte de l'école, poursuit Gaëlle. Personne ne m'a jamais battue au tir au poignet, pas même moi... et pourtant, j'ai essayé, vous pouvez me croire.

— Nous le savons, dit Janie. Mais où veux-tu en venir?

— Mon idée, continue Gaëlle, c'est que si elle peut me battre au tir au poignet, nous aurons la certitude qu'elle est un robot. Est-ce que ça te semble juste, Henri?

— Je crois que oui, dis-je.

— Et toi, Jacob?

— C'est juste, dit-il.

— Et si Roberta ne bat pas Gaëlle, alors vous allez cesser de parler de robots une fois pour toutes, n'est-ce pas? demande Janie.

Je lui promets alors :

— Oui.

— Parfait, lance Gaëlle en se levant d'un bond et en se dirigeant vers Roberta. Allons-y.

Nous suivons Gaëlle sur le terrain de basket-ball.

Roberta lève les yeux vers nous.

— Voudrais-tu te mesurer à moi au tir au poignet? demande Gaëlle.

— Pourquoi? dit Roberta.

— Pour le plaisir.

Roberta hausse les épaules.

— Je ne sais pas, dit-elle. Je n'ai jamais essayé.

— C'est facile, dit Gaëlle. Je vais te montrer.

Elle se couche à plat ventre par terre et se tire au poignet elle-même.

— Je ne suis pas sûre que ce soit une bonne idée, commente Roberta. Je ne voudrais pas te faire mal.

Gaëlle émet un bref grognement.

— Ne t'inquiète pas pour ça. Je suis plutôt forte. Je suis capable d'en prendre.

— D'accord, dit Roberta avec hésitation, en s'allongeant par terre devant Gaëlle.

— Alors, vous deux, déclare Jacob en s'accroupissant pour faire l'arbitre. Je m'attends à un combat dans les règles, compris? Pas de ruses. Dans trois, deux, un... c'est parti!

Gaëlle et Roberta s'empoignent les mains.

Chacune plante son regard dans celui de l'autre.

Chacune affiche sa volonté de gagner.

Leurs mains restent dans la position de départ. Leurs bras tremblent sous l'effort alors qu'elles forcent furieusement l'une contre l'autre.

Puis, comme je m'y attendais, Gaëlle commence à pousser la main de Roberta vers le sol.

Mais cela ne dure qu'un instant.

Incroyablement, contre toute attente et se jouant de toutes les lois connues de la probabilité, de la physique et de la nature, Roberta réussit non seulement à interrompre la descente, mais elle parvient également à repousser la main de Gaëlle jusqu'à leur point de départ, puis à la pousser de l'autre côté... jusqu'à la plaquer solidement au sol.

Gaëlle secoue la tête en signe d'incrédulité.

— Je n'arrive pas à le croire! dit-elle en s'assoyant et

81

en massant son poignet comme s'il lui faisait mal. À part mon père, personne ne m'a jamais vaincue au tir au poignet. Personne! Comment as-tu fait?

— Eh bien, j'imagine que je suis plus forte que toi, dit Roberta d'un ton neutre, en se relevant.

— Je n'arrive pas à le croire, répète Gaëlle encore et encore. Je n'arrive tout simplement pas à le croire.

Janie s'agenouille et aide Gaëlle à se remettre debout.

— Viens, dit-elle, allons voir Mme Petitsoins.

Chapitre 25

Dix faits prouvant hors de tout doute que Roberta est un robot

1. Elle a une mémoire photographique.
2. Elle a un nom qui sonne comme le mot « robot ».
3. Elle connaît le système de classification décimale Dewey par cœur.
4. Elle est supersérieuse (et n'a aucun sens de l'humour).
5. Elle n'a aucune imagination.
6. Elle ne connaît pas la peur.
7. Elle est dotée d'une intelligence surhumaine.
8. Elle a un talent surhumain pour écrire des histoires.
9. Elle a un talent surhumain pour dessiner.
10. Elle est dotée d'une force surhumaine.

Chapitre 26

Janie Ladouceur...
incarnée

À présent, Jacob et Gaëlle sont d'accord avec moi, mais en dépit du fait que ce soit l'évidence même (voir le chapitre précédent), j'ai encore de la difficulté à convaincre Janie. Je dirais même qu'au contraire, elle semble devenir de plus en plus amie avec Roberta.

Le lendemain matin, toutes les deux arrivent ensemble à l'école, pratiquement en gambadant, bras dessus, bras dessous.

— Bonjour, Henri! lance Janie en me saluant de la main.

— Bonjour, Henri! lance Roberta en imitant presque parfaitement les paroles, la voix et le geste de la main de Janie.

— Bonjour! dis-je en les saluant à mon tour, tout en tâchant de ne pas laisser paraître ma panique. Janie, est-ce que ça t'ennuie si je te parle seul à seul une minute?

— Pourquoi? demande-t-elle. Quelque chose ne va pas?

Je réponds :

— Non, bien sûr que non. Tout va bien. Tout va même très bien! En fait, je ne me souviens pas d'une fois où tout allait mieux qu'en ce moment précis!

Roberta fronce les sourcils, hausse les épaules et se tourne vers Janie.

— De quoi il parle? demande-t-elle.

— Oh! ça, c'est du Henri tout craché! lui répond Janie. Tu vas t'habituer au bout d'un certain temps. Je ferais mieux d'aller voir ce qu'il veut. On se retrouve en classe!

— On se retrouve en classe! répète Roberta en se dirigeant vers notre classe.

Une fois que Roberta est assez loin pour ne pas nous entendre, je demande :

— Es-tu sûre de ce que tu fais, Janie?

— Elle est vraiment gentille! s'exclame Janie. Tu l'as mal jugée, Henri. Je ne comprends pas pourquoi tu es si méchant avec elle.

— Parce qu'elle est un robot, voilà pourquoi!

— Non, elle n'en est pas un!

— Me traites-tu de menteur?

— Non, mais tu sais comme moi que ton imagination est très fertile.

— C'est vrai, dis-je, mais je n'ai pas imaginé ce rapport de mission que j'ai lu dans son journal!

— Je suis certaine qu'il existe une explication raisonnable à ça, réplique Janie. Tu as peut-être mal lu.

— Peux-tu me dire, exactement, ce que je pourrais avoir mal lu dans : « Je suis un robot de l'avenir, superévolué et superintelligent. J'ai été envoyé ici par mes supérieurs pour débarrasser le monde des êtres humains inefficaces, afin que les robots puissent prendre le contrôle de la Terre. » ?

— Pas besoin d'être sarcastique, rétorque Janie. Je trouve ça simplement un peu difficile à croire, c'est tout.

Réfléchis un instant. Même si l'on pouvait prouver que ce que tu avances est vrai, c'est-à-dire que Roberta est vraiment un robot superévolué et superintelligent déterminé à prendre le contrôle du monde, pourquoi diable l'écrirait-elle dans son journal et le laisserait-elle traîner là où n'importe qui peut le trouver? Ça ne me semble pas être une chose très intelligente à faire!

— Comment veux-tu que je sache pourquoi elle agit ainsi? dis-je. Je ne suis pas un robot superévolué et superintelligent. Elle ne le sait probablement pas elle-même; elle se contente sûrement d'obéir aux ordres. Tout ce que je sais, c'est ce que j'ai vu.

— Eh bien, pour autant que je sache, elle n'a rien fait de mal jusqu'à maintenant, dit Janie. Je dirais même qu'elle s'est rendue vraiment utile.

— Écoute-moi, Janie, dis-je. Elle n'est ni serviable ni gentille... elle essaie de nous leurrer en faisant naître un faux sentiment de sécurité avant de passer à l'attaque!

La première sonnerie retentit.

— Je suis désolée, Henri, mais tu vas devoir m'excuser, déclare Janie en s'éloignant. Je dois aller déposer une banane sur le bureau de M. Desméninges.

Ça, c'est du Janie Ladouceur tout craché.

Elle est tellement gentille et tellement amicale qu'elle ne peut tout simplement pas imaginer que quelqu'un ne soit pas aussi gentil et aussi amical qu'elle.

Mais tout cela va bientôt changer.

J'entends le cri depuis la cour d'école.

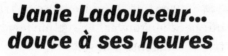

Chapitre 27

Janie Ladouceur...
douce à ses heures

Je m'élance vers la classe en courant aussi vite que je le peux.

Je gravis les marches d'un seul bond gigantesque, traverse le corridor d'une seule longue glissade, m'agrippe au cadre de porte et regarde dans la classe.

Janie et Roberta sont seules dans le local. Elles se font face, chacune se tenant d'un côté du bureau de M. Desméninges.

Mais Janie ne ressemble plus à la Janie que je connais.

Son visage est tout rouge. Elle tremble.

— Je n'arrive pas à le croire! Je n'arrive pas à le croire! répète-t-elle sans arrêt.

— Je ne fais que donner des bananes à M. Desméninges, dit Roberta. Je croyais que c'était perçu comme un geste gentil!

Une montagne de bananes se trouve sur le bureau de M. Desméninges.

— Une banane, c'est gentil, dit Janie. Mais une montagne de bananes, c'est juste de la frime! Et puis, c'est mon idée de donner une banane par jour à M. Desméninges! J'y ai pensé la première!

Roberta fixe Janie avec l'air de ne rien comprendre.

— Dans ce cas, je vais les enlever, dit-elle.

— Non, laisse-moi t'éviter cette peine.

En disant cela, Janie s'empare de toutes les bananes qui se trouvent sur le bureau et les lance par la fenêtre.

Pendant un moment, nous restons tous figés sur place.

Nous ne savons pas quoi dire.

Je n'ai jamais vu Janie Ladouceur faire quelque chose d'aussi peu amical de toute sa vie.

Roberta est stupéfaite et tout à fait perplexe devant le comportement de Janie.

— Henri a peut-être raison à ton sujet! siffle Janie, furieuse. Tu n'es peut-être pas seulement différente. Tu es peut-être véritablement un…

Je me rue sur elle et lui plaque ma main sur la bouche.

— Ça suffit, Janie, dis-je.

— Non, ça ne suffit pas, dit Roberta, avec un regard gris et dur comme l'acier. Laisse-la finir sa phrase, Henri!

Janie fait de son mieux pour finir sa phrase, mais je réussis à étouffer le mot qu'elle meurt d'envie d'envoyer à la figure de Roberta.

Je m'empresse de traîner Janie hors de la classe, aussi vite que je le peux.

J'explique à Roberta :

— Elle est fâchée. Elle ne sait pas ce qu'elle dit!

— Je pense qu'elle le saurait si tu retirais ta main de sa bouche, réplique-t-elle.

— Est-ce que ça va, Janie? je lui demande quand je réussis enfin à la sortir de la classe et à la traîner en bas de l'escalier.

— Non! s'écrie-t-elle en suffoquant pour reprendre son souffle. Je ne vais pas bien du tout. Et Roberta non plus. Non seulement elle est superforte, superintelligente et toutes ces autres choses que tu as dites, mais en plus, elle est supergentille. Or, personne ne peut être plus gentil que moi, Henri. Personne d'humain en tout cas.

— Donc, tu es d'accord avec moi? dis-je. Tu crois vraiment qu'elle est un robot?

Janie hoche la tête.

— Nous exterminer tous, c'est une chose, mais si Roberta croit qu'elle peut être plus gentille que moi, alors elle se trompe royalement.

— Janie, dis-je, pour l'instant, Roberta est plus gentille que toi. Tu as lancé ses bananes par la fenêtre, ce qui n'est pas très gentil.

Horrifiée, Janie plaque sa main sur sa bouche comme si elle prenait soudainement conscience de ce qu'elle a fait.

— Oh, non! s'écrie-t-elle. J'ai fait ça?

— J'en ai bien peur. Je pense que tu devrais aller les ramasser, les lui rapporter et t'excuser auprès d'elle. Nous ne pouvons pas lui laisser croire que nous la soupçonnons. Nous devons nous comporter comme si tout allait bien.

— Bien sûr! dit Janie. Je me sens tellement mal… Je crois que je te dois des excuses, à toi aussi.

— Non, tu ne m'en dois pas, dis-je. Tu donnes toujours le bénéfice du doute aux gens. C'est une de tes nombreuses belles qualités. Mais en ce moment, c'est à Roberta que tu

89

dois des excuses. Tu crois que tu peux y arriver?

Janie déglutit, ferme les yeux et adoucit l'expression de son visage au moyen d'un joli sourire.

— Bien sûr, répond-elle. Je suis Janie Ladouceur! Si je ne peux pas le faire, alors personne ne le peut!

Juste après que Janie et moi sommes revenus en classe avec les bananes, M. Desméninges entre et va s'asseoir à son bureau.

— Ma parole! s'exclame-t-il en levant les yeux vers Janie. Sont-elles toutes pour moi?

— Oui, dit-elle, mais elles ne sont pas de moi.

M. Desméninges fronce les sourcils.

— Ah non? fait-il. Dans ce cas, qui me les offre?

— C'est Roberta, répond Janie en déposant les bananes sur le pupitre de Roberta. J'ai bien peur que nous ayons eu un petit accident, enfin, euh... les voici. Excuse-moi, Roberta.

— Ne t'en fais pas, Janie, dit-elle gentiment. Ça arrive, des accidents.

— Voilà des paroles pleines de vérité, déclare M. Desméninges. Ce matin encore, j'ai eu le malheur de confondre mon veston avec mon pantalon, ce qui explique pourquoi je suis un peu en retard. J'ai glissé mes jambes dans les manches et ensuite, je n'arrivais ni à marcher ni à retirer mes jambes des manches. Ça m'a pris un temps fou pour m'en dépêtrer. Ce genre de mésaventure n'est-il pas agaçant?

Certains d'entre nous rient, tandis que d'autres se contentent de fixer M. Desméninges d'un regard vide. Il plaisante probablement, mais avec lui, on n'en est jamais sûrs.

Roberta se lève et dépose les bananes sur le bureau de M. Desméninges.

— Eh bien, je te remercie, Roberta! lance M. Desméninges en les lui prenant des mains. C'est très délicat de ta part! Je crois que c'est la chose la plus gentille que quiconque ait jamais faite pour moi!

Pauvre Janie.

Elle s'agrippe tellement fort aux bords de son pupitre que ses jointures en sont blanches. J'ai peur qu'elle décide de se précipiter à l'autre bout de la classe et de déchiqueter le corps métallique de Roberta en morceaux.

Je murmure :

— Calme-toi, Janie. Ne fais pas de bêtises. Nous allons nous occuper de ça, d'accord? Mais plus tard. Pour l'instant, j'ai besoin que tu restes gentille.

Janie me regarde et hoche la tête en m'adressant un sourire grinçant.

— Je suis gentille, dit-elle entre ses dents serrées. Je suis très, très, très gentille.

Chapitre 28

Sandwichs de robot

Nous gardons Roberta à l'œil tout le reste de la matinée, mais elle ne fait rien de louche. Elle se contente de travailler calmement et méthodiquement. Aussi calmement et méthodiquement que... eh bien, vous savez quoi. Même Janie Ladouceur le sait maintenant, même si je la soupçonne d'avoir encore quelque difficulté à le croire.

À l'heure du dîner, nous allons nous asseoir dans la cour, à notre endroit habituel. Nous regardons Roberta arriver dans la cour et aller s'asseoir toute seule sur un banc pour manger son lunch.

— Elle est toute seule, dit Janie. Est-ce que je devrais aller la voir et l'inviter à venir dîner avec nous?

— Tu rigoles? lui dis-je. Après ce qu'elle t'a fait ce matin?

— Non, c'est vrai, je crois qu'il ne vaut mieux pas, reprend Janie. C'est juste que je déteste voir quelqu'un tout seul.

— Elle ne sera pas seule longtemps si elle réussit à mettre son projet à exécution, commente Gaëlle. Ses copains robots et elle vont bientôt tout contrôler ici!

— Mince! laisse échapper Lucas.

— J'ai dit « si elle réussit à mettre son projet à exécution », Lucas. *Si!*

— Elle ne ressemble pas à un robot, tout de même, fait remarquer Janie.

— Ne sois pas dupe, dis-je. C'est exactement ce qu'elle veut que tu penses.

— Mais elle mange un sandwich, insiste Janie. Ça ne ressemble pas à quelque chose qu'un robot ferait.

— Ce n'est pas un vrai sandwich, dis-je. Roberta est un robot superévolué et superintelligent, et elle est résolue à cacher sa véritable identité. Elle ne va pas s'asseoir et se mettre à manger des écrous et des boulons, et à boire de l'huile comme un robot normal. Elle a camouflé sa nourriture de robot pour qu'elle ressemble à un sandwich normal, mais c'est réellement un sandwich de robot. Elle est rusée... très rusée.

Tout le monde approuve d'un hochement de tête. Enfin, tout le monde sauf Lucas.

— J'ai peur, dit-il. Je veux rentrer chez moi.

— Mais tu ne peux pas, dit Gaëlle. C'est seulement l'heure du dîner.

— Je veux quand même rentrer chez moi, répète Lucas. Je serai plus en sécurité là-bas.

Je lui précise :

— Seulement pour un temps.

— Que veux-tu dire? demande Lucas.

— Exterminer tout le monde à l'école Sudest de Nordouest de Centreville, ce n'est que le début. Une fois que Roberta et son armée de robots en auront fini avec nous, ils vont s'attaquer au reste du monde! Tu peux toujours courir, Lucas, mais tu ne leur échapperas pas. Nous ferions mieux d'agir maintenant plutôt que d'attendre qu'il soit trop tard.

Lucas déglutit si bruyamment qu'à l'entendre, on jurerait qu'il essaie d'avaler une balle de baseball.

— Henri a raison, dit Gaëlle. Nous devons agir maintenant. La question est comment nous y prendre, au juste? Que pouvons-nous faire pour l'arrêter?

— Avant de pouvoir répondre à cette question, dis-je, nous devons savoir ce que Roberta projette de faire exactement et quand elle prévoit le faire.

— Ouais, mais comment le découvrir? demande Janie. Ce n'est pas comme si on pouvait bêtement aller la voir et lui demander.

— As-tu jeté un coup d'œil dans son journal dernièrement? demande Jacob. Elle a peut-être rédigé un autre rapport. Ça pourrait nous donner une piste.

— Mais bien sûr! dis-je en frappant ma main de mon poing. Pourquoi n'y ai-je pas pensé plus tôt?

Jacob sourit et hausse les épaules.

— J'imagine que c'est parce que tu n'es pas aussi malin que moi.

— Ou aussi irrespectueux de l'intimité des autres, réplique Janie. On ne peut pas aller fouiner dans le journal des autres quand bon nous semble.

— Mais c'est un robot! proteste Jacob.

— Même les robots ont droit à leur vie privée, déclare Janie.

— Pas quand ils projettent de prendre le contrôle du monde, en tout cas, dis-je.

— Ma mère dit que deux moins font un plus, dit Janie.

— Vraiment? dis-je. Et que dit ta mère à propos des robots qui envahissent le monde et qui exterminent tous les humains... ou qui, par exemple, déposent une montagne de bananes sur le bureau de leur enseignant?

Janie réfléchit pendant un instant, puis hausse les épaules.

— Je ne sais pas. Elle n'a jamais véritablement exprimé d'opinion sur ces sujets... Je lui demanderai ce soir.

— Nous n'avons pas le temps! dis-je. Je propose que nous restions après l'école et que nous regardions dans son journal. Tous ceux qui sont d'accord, levez la main.

Un par un, chacun de nous lève la main.

Même Lucas.

Et, enfin, Janie.

Pendant ce temps, Roberta continue à manger son sandwich de robot sans se douter une seconde que son projet diabolique est sur le point d'être complètement saboté.

Chapitre 29

Dans le journal de Roberta

Cet après-midi-là, nous attendons que tout le monde ait quitté la classe, puis, un par un, nous y retournons en douce.

Cela s'avère plus facile que je ne l'avais imaginé.

Roberta a laissé son journal en plein sur le dessus de son pupitre.

Nous postons Lucas à la porte pour qu'il fasse le guet. Le reste de la bande se rassemble autour de moi pendant que je m'empare du journal de Roberta et que je l'ouvre à la page de lundi où elle a rédigé son rapport.

Je tapote la page avec mon doigt et m'exclame :

— Regardez!

— Non, proteste Janie en détournant la tête. Je ne peux pas! Je ne peux tout simplement pas regarder le journal de quelqu'un d'autre!

— Très bien, dis-je. Dans ce cas, je vais te le lire. « Je m'appelle Robota Boulon. Je suis un robot de l'avenir, superévolué et superintelligent... »

Janie enfonce ses doigts dans ses oreilles... mais elle ne parvient pas à bloquer complètement le son de ma voix. Je le sais parce que je la vois écarquiller les yeux pendant que je lis. Puis, lentement, elle retire ses doigts de ses oreilles. Elle s'avance vers le pupitre pour jeter un œil à ce que je lis.

— Henri... dit-elle en suffoquant. C'est affreux... Mais quelle belle écriture elle a, très soignée...

— JANIE! dis-je. Ressaisis-toi! Nous ne sommes pas ici pour admirer son écriture : nous sommes ici pour découvrir quand et comment elle projette de se débarrasser de nous tous!

— Désolée, Henri... bafouille Janie qui semble déjà avoir oublié l'interdiction de sa mère de lire le journal d'une autre personne. À ton avis, ça signifie quoi, ça?

Je lui demande :

— Quoi donc?

— Ça, répond Janie en désignant une date. Elle a encerclé la date de demain et a écrit ASSEMBLÉE, suivi de trois points d'exclamation.

— Oh, oooh... dis-je. Je vais vous dire ce que ça signifie. Ça signifie que nous avons de gros ennuis. Elle a prévu lancer son attaque de robots pendant l'assemblée de demain.

— Je le savais! s'écrie Jacob en frappant sa paume de son poing. Je le savais depuis le début!

— Non, tu ne le savais pas, dis-je. L'autre jour encore, tu étais prêt à t'inscrire au club des admirateurs de Roberta Boulon.

— Non, c'est faux, réplique Jacob. Je faisais juste semblant d'entrer dans son jeu pour qu'elle ne se doute pas que j'avais deviné ce qu'elle tramait.

— En tout cas, je trouve que son idée de bâton était vraiment bonne, lance Lucas depuis l'embrasure de la porte. Et en plus, ça marche de laver les poignées du robinet! Je n'ai eu aucun microbe sur moi hier!

— Ça n'a rien à voir! dis-je. Je me fiche pas mal qu'elle

97

ait des idées innovatrices pour nettoyer la cour ou se laver les mains : cette fille est un vilain robot qui est bien décidé à tous nous exterminer lors de l'assemblée, demain matin! C'est écrit ici, noir sur blanc!

— Penses-tu qu'elle va faire ça avec des bâtons pointus? demande Lucas, qui a abandonné son poste de guet et qui nous a rejoints autour du pupitre. Des bâtons avec des microbes dessus?

— J'ignore ce qu'elle a en tête exactement, dis-je, mais je crois que ce sera pire que des bâtons pointus recouverts de microbes. Bien pire. Et d'ailleurs, que fais-tu ici? Tu es censé faire le guet. ALORS, GUETTE!

— Désolé, Henri, dit Lucas, mais j'avais peur tout seul là-bas.

— Henri, tu ne devrais pas lui crier après comme ça, proteste Janie. Il a peur!

— Eh bien, moi aussi! dis-je.

D'ailleurs, quelques secondes plus tard, je suis carrément terrifié.

Un bruit nous provient de la porte de la classe.

Nous levons les yeux, l'air coupable.

C'est Roberta.

Chapitre 30

Sauve qui peut!

— Que faites-vous? demande Roberta. Pourquoi êtes-vous tous autour de mon pupitre? Vous lisez mon journal?

— NON! dis-je en le refermant d'un coup sec. Je viens simplement de le trouver par terre et je l'ai ouvert pour voir à qui il appartenait. J'étais en train de le remettre à sa place.

— Oui, c'est vrai, renchérit Janie en rougissant à vue d'œil. Henri était en train de le remettre à sa place.

Janie n'est pas une très bonne menteuse. En fait, il s'agit probablement de son tout premier mensonge à vie.

— Ouais, c'est exactement ce qui s'est passé, ajoute Jacob. Exactement comme ils l'ont dit.

Gaëlle murmure son approbation.

Lucas, terrifié, se contente de hocher la tête.

Rien qu'à voir la manière dont Roberta nous regarde, nous devinons qu'elle ne croit pas un mot de ce que nous venons de lui dire.

Elle commence à avancer vers nous.

Nous nous mettons tous à reculer lentement.

— Tu me dis une chose, mais ton corps suggère complètement autre chose. Je suis sûre que tu as lu mon journal. Tu sais, pas vrai?

— Hum... Non... dis-je. Je ne sais rien à ce sujet... Je veux dire que s'il y avait quelque chose à savoir... ce qui

99

n'est pas le cas... non pas que je sache s'il y a ou s'il n'y a pas quelque chose à savoir... ou à ne pas savoir... au sujet de ce sujet!

— Je suis sûre que tu sais, dit calmement Roberta, et je préférerais que tu n'en parles à personne. Ça va être assez difficile comme ça, si en plus chacun l'apprend à l'avance, ça me compliquerait la tâche.

Nous échangeons tous un regard horrifié.

— Je fais de mon mieux pour m'intégrer, déclare Roberta.

— De quelle façon accomplir ce projet va-t-il t'aider à t'intégrer? demande Janie.

— Ce n'est pas mon idée, répond Roberta. Je me contente simplement d'obéir.

— Eh bien... si c'est comme ça que tu te sens, tu ne devrais peut-être pas le faire, balbutie Janie.

— J'y ai pensé, tu peux me croire, affirme Roberta. Mais j'ai donné ma parole, alors je le ferai. Impossible de revenir là-dessus. Tout ce que je vous demande, c'est de ne pas en parler, s'il vous plaît.

Elle fait un pas dans notre direction.

Nous reculons d'un pas.

— S'il vous plaît! dit Roberta. C'est promis?

— Bien sûr! dis-je. Nous ne le dirons à personne. Pas vrai, vous autres?

— NON, assure Janie d'une voix un peu trop forte et en rougissant encore un peu plus.

— Absolument, déclare Gaëlle. Tu peux compter sur nous.

— Nos lèvres sont closes, jure Jacob.

— C'est promis? demande encore Roberta en

s'approchant encore. Vraiment?

Nous reculons maintenant à toute vitesse en hochant énergiquement la tête.

Je sens le rebord de la fenêtre derrière mes genoux. Je crie aux autres :

— Sautez!

Nous nous retournons tous et nous sautons.

Par la fenêtre!

Puis nous filons tous.

Sauve qui peut!

Chapitre 31

Guillaume Patente à la rescousse

Nous courons jusqu'à la grille de l'école où nous nous arrêtons pour reprendre notre souffle.

— Super, dit Gaëlle. Maintenant, elle sait que nous savons. Nous allons devoir faire vite. Il nous faut un plan. Quelqu'un a une idée?

Personne ne répond.

— Nous ne pouvons rien faire, gémit Lucas. Elle est plus évoluée que nous. Elle est plus intelligente que nous. Elle est plus forte que nous. Il n'y a aucun moyen pour nous de vaincre un robot de l'avenir, superévolué et superintelligent!

— Il y en a peut-être un, dit Janie en plissant les yeux. Ma mère dit que parfois, il faut combattre le feu par le feu.

— J'ai peur du feu, marmonne Lucas.

— C'est juste une expression, explique Janie. Ça signifie combattre avec les mêmes armes que celles de notre adversaire. Nous affrontons un robot, alors il nous faut un robot.

— Bonne idée, Janie, approuve Gaëlle. Mais où diable allons-nous dénicher un robot?

Je m'exclame aussitôt :

— Chez Guillaume Patente, bien sûr!

— Non, grogne Jacob. Pas Guillaume. Il nous faut un robot qui fonctionne vraiment.

— Ne sois pas mesquin, Jacob, intervient Janie. Je crois que Guillaume est vraiment intelligent.

— Ouais, dis-je. En plus, il est la seule personne que je connaisse qui puisse nous aider. Quelqu'un a une meilleure idée?

— Non, mais les inventions de Guillaume ne fonctionnent jamais, dit Jacob.

— Ce n'est pas vrai, proteste Janie. Elles fonctionnent parfois.

— Ouais, continue Jacob. Et ensuite, elles explosent!

— Elles n'explosent pas toujours, réplique Janie.

— Tu as raison, dit Jacob. Parfois, elles produisent de la fumée et elles émettent un bruit strident… et ensuite, elles explosent.

— Bon point, dis-je. Mais la question est : quelqu'un a-t-il une meilleure idée?

Jacob réfléchit pendant une minute. Puis il hausse les épaules et dit :

— Non.

Nous courons aussi vite que nous le pouvons jusque chez Guillaume.

Une fois là-bas, sa mère nous dirige vers l'atelier du père de Guillaume.

Guillaume est plutôt surpris de nous voir, mais jamais aussi surpris que lorsque nous lui expliquons tout ce que nous venons de découvrir.

— Donc, dis-je, une fois que nous avons fini de l'informer de la situation, peux-tu nous construire un robot capable de neutraliser Roberta?

— Je pense bien que oui, répond Guillaume. Mon père a justement fait des travaux très intéressants sur l'I.A. dernièrement. Et je l'ai aidé à les réaliser.

— Qu'est-ce que ça veut dire I.A. ? demande Lucas. Ça semble effrayant.

— Ça signifie « intelligence artificielle », explique Guillaume. Des robots, par exemple. Mon père assiste présentement à une conférence sur l'intelligence artificielle, ce qui est génial, parce que je peux utiliser son atelier pour construire ce qui me plaît.

— Comme ça, tu pourrais vraiment construire un robot? demande Janie. Ça serait super.

— Ouais, formidable, ajoute Gaëlle.

— Vas-y, mon Guillaume, lui dis-je en lui donnant une bonne tape dans le dos.

— Youpi! Super! s'exclame Jacob.

Mais il est sarcastique.

— Quel genre de caractéristiques aimeriez-vous qu'il possède? demande Guillaume en ignorant la moquerie de Jacob.

— On peut choisir? s'étonne Janie, tout excitée. La couleur des yeux? Des cheveux? Ce genre de trucs?

— Non, répond Guillaume en roulant de gros yeux. Je veux dire quel genre de robot voulez-vous? Il y en a plein de sortes différentes, vous savez. Des robots domestiques, des robots miniatures, des robots aquatiques, des robots combattants...

— Un robot combattant! s'écrie Gaëlle.

— Ouais. Un robot combattant, c'est en plein ce qu'il nous faut! dis-je. Un robot combattant de robots.

Guillaume se frotte le menton.

— Laissez-moi noter quelques détails.

Il sort un petit crayon et un calepin de la poche de sa chemise.

— Voyons... Voulez-vous qu'il ait des yeux munis de rayons laser?

— Ils sont de quelle couleur? demande Janie.

— Rouges lorsqu'ils sont activés, répond Guillaume. Les rayons laser brûlent tout ce que le robot regarde.

— Ouah! s'exclame Jacob. Ça a l'air super!

Cette fois, il n'est pas sarcastique.

— Non! crie Lucas. J'ai peur des yeux rayons laser.

— En effet, ça me semble un peu dangereux, dis-je. Nous ne voudrions blesser personne. Nous voulons simplement neutraliser Roberta.

— Je crois que tu as raison, approuve Guillaume. Dans ce cas, j'imagine qu'on oublie aussi les mains lance-flammes?

— Oui, dis-je.

— Je vais lui installer un paralyseur d'ennemi robot à ultra haute fréquence, déclare Guillaume. C'est le bidule sur lequel mon père travaillait. C'est très efficace.

Je lui demande :

— Qu'est-ce que ça fait?

— Ça émet une vibration à une fréquence extrêmement haute qui vient brouiller les circuits du robot ennemi, explique Guillaume. Ça peut aussi faire éclater le verre, mais cette fonction est moins utile.

— Une vibration à une fréquence extrêmement haute, répète Jacob. J'aimerais entendre ça.

— Impossible, répond Guillaume. C'est trop haut pour

105

être perceptible par l'oreille humaine. Seuls les robots et les chiens peuvent l'entendre.

— Je le savais, répond Jacob. Je plaisantais.

— Oh! commente Guillaume. Très drôle, alors. Mais retournons à nos moutons. Voulez-vous que le robot puisse se transformer en sous-marin?

— Tu peux faire ça? demande Gaëlle.

— Je pense que oui, répond Guillaume. Et faut-il qu'il soit capable de voyager dans l'espace?

— Ça pourrait être vraiment utile si jamais il y a une poursuite, dis-je. Nous ne savons pas de quoi Roberta est capable.

— Bien, note Guillaume. Autre chose?

— Je ne sais pas, dis-je. Équipe-le de tout ce que tu penses qui peut lui être utile pour protéger la Terre en cas d'insurrection de robots.

Guillaume hoche la tête.

— Dans ce cas, je recommanderais vivement les mains lance-flammes.

— C'est bon, dis-je. Pourvu qu'elles ne brûlent personne.

— Non, c'est promis, répond Guillaume. Je me mets tout de suite au travail!

Je m'exclame :

— Super! Quand penses-tu l'avoir terminé?

— Ça ne devrait pas me prendre trop de temps, affirme Guillaume. Je pense que si tous les matériaux dont j'ai besoin sont disponibles et que tout se déroule comme prévu, je devrais l'avoir terminé, hummm, disons… d'ici la fin de l'année.

— QUOI? nous écrions-nous tous à l'unisson.

— Il y a un problème? demande Guillaume.

— Mais oui, dis-je. Nous ne pouvons pas attendre aussi longtemps!

— Pourquoi? Quand en avez-vous besoin?

— DEMAIN MATIN! dis-je. Au plus tard! Nous sommes pas mal sûrs qu'elle planifie quelque chose pour l'assemblée qui aura lieu à l'école.

Guillaume hoche la tête.

— Je vois, dit-il en notant cette nouvelle information. Ça ne me laisse pas beaucoup de temps.

Je lui demande alors :

— Peux-tu le faire?

— J'imagine que c'est possible, déclare Guillaume, mais je ne serai peut-être pas capable d'intégrer toutes les caractéristiques que vous voulez. Comme la transformation en sous-marin, par exemple. C'est pas mal complexe.

— Ne t'inquiète pas avec ça, dis-je. Le seul plan d'eau à proximité, c'est le lac Nordouest qui n'est en fait qu'une grosse flaque. Mais peut-on quand même avoir la fonction « vol dans l'espace »? Les poursuites interplanétaires sont plutôt fréquentes avec les robots.

— Bien sûr! s'écrie Guillaume. La fonction « vol dans l'espace » est standard sur tous mes robots.

— Combien en as-tu fabriqué? demande Gaëlle.

— Ce sera mon premier, concède Guillaume. Mais si jamais il fonctionne, j'en construirai probablement plein d'autres.

— Si jamais il fonctionne? répète Jacob. Que veux-tu dire par « si jamais il fonctionne »?

Mais Guillaume ne l'écoute pas. Il a la tête penchée et il griffonne furieusement dans son calepin.

— Je vous revois tous demain, marmonne-t-il. On se retrouve à la grille devant l'école, une demi-heure avant le début des cours.

Nous échangeons tous un regard. De toute évidence, il est temps de partir.

— Pensez-vous qu'il peut vraiment le faire? demande Lucas une fois que nous sommes dehors.

— Il le faut, dis-je. Il est notre seul espoir.

— Eh bien, dans ce cas, c'est fini, dit Jacob. C'est sûr, nous sommes fichus.

Chapitre 32

Le Guillaubot 1000

Le lendemain, je me rends tôt à l'école et je retrouve les autres devant la grille.

— Où est Guillaume? demande Lucas en frissonnant, tandis que de gros nuages noirs s'amoncellent au-dessus de nos têtes.

— Je l'ignore, dis-je. Il était censé être ici.

— Pensez-vous que tout se passe bien? demande Janie.

— Je l'espère, dis-je. Il le faut. L'avenir de l'humanité en dépend.

Je lève les yeux au ciel.

Il va y avoir de l'orage. Ça, c'est certain.

— Le voici! s'écrie Lucas.

Guillaume traverse la cour d'école et vient en courant vers nous.

— Et alors? demande Jacob. Est-ce que tu l'as?

— Oui, répond Guillaume, les yeux brillants d'excitation.

— Où est-il? demande Gaëlle en le cherchant des yeux.

— Il est là-bas, derrière la remise de M. Herbête, déclare Guillaume. Je l'ai apporté à l'école vraiment tôt, afin que personne ne le voie. Ça fait un bout de temps qu'on est là. Venez le voir!

Guillaume file sans nous attendre. Nous nous élançons à sa suite.

Nous le suivons jusque derrière la remise de M. Herbête. Un gros objet recouvert d'une grande bâche en plastique bleu s'y trouve.

— Êtes-vous prêts? lance Guillaume. Préparez-vous à voir apparaître sous vos yeux la huitième merveille du monde : le GUILLAUBOT 1000!

Dans un grand geste théâtral, Guillaume retire la bâche en plastique, révélant ainsi un grand robot à l'allure artisanale, mais quand même terrifiante.

Il nous surplombe de sa haute taille. Il est fabriqué de morceaux de différents métaux, tous rivetés et soudés ensemble. Sa tête en métal a la forme d'un gros seau. Elle est pourvue d'une fente rectangulaire pour les yeux et d'une antenne unique qui s'élève sur le dessus. Ses bras sont faits de longs tuyaux en métal. De grosses pinces en acier scintillant sont boulonnées aux extrémités. Ses jambes sont faites du même matériau que celui des bras — mais plus épais — et sont pourvues de bottes de pluie en caoutchouc noir qui lui montent jusqu'aux genoux.

— Ouah! s'écrie Janie. C'est vraiment impressionnant, Guillaume! Tu as fait du bon travail.

— Ouais, approuve Gaëlle. Il a l'air extrêmement puissant.

— J'ai peur! s'écrie Lucas.

— C'est ça, le but, dit Guillaume.

— Pourquoi porte-t-il des bottes de pluie? demande Jacob.

— Je voulais construire une paire de bottes-propulseurs pour voyager dans l'espace, explique Guillaume, mais j'ai manqué de temps.

— De toute façon, il va pleuvoir aujourd'hui, dit Janie. C'est donc une bonne chose qu'il ait des bottes de pluie. Comme ça, il aura les pieds au sec.

— Super! s'exclame Jacob. Alors comme ça, il ne peut ni aller sous l'eau ni voyager dans l'espace, mais il peut barboter dans les flaques. Est-ce qu'il a au moins les mains lance-flammes?

— Malheureusement non, répond Guillaume. Il est arrivé un accident pendant que j'essayais de les installer et j'ai failli mettre le feu à l'atelier de mon père.

— Nous aurions dû nous en douter, lâche Jacob en roulant de gros yeux et en secouant la tête. Ce robot ne fonctionne pas pour de vrai, n'est-ce pas? Ce n'est qu'un gros jouet.

— Je vais te laisser en juger par toi-même, dit Guillaume.

Il se tourne vers le Guillaubot et dit :

— Guillaubot, ramasse le petit humain qui se trouve immédiatement à ta droite!

C'est alors qu'une chose prodigieuse se produit.

Le robot géant de Guillaume prend vie.

On entend d'abord un vrombissement, suivi de trois courts bips. Puis un rayon de lumière éclatant surgit par l'ouverture qui se trouve sur le devant de sa tête. Le robot se tourne vers Jacob, qui cligne des yeux, comme paralysé, et le ramasse à l'aide de ses deux bras puissants.

Nous avons tous le souffle coupé.

Lucas se réfugie derrière Janie.

— Lâche-moi! hurle Jacob.

— Juste un gros jouet, hein? se moque Guillaume.

— Je retire mes paroles! C'est le meilleur robot de tous les temps! Tu es un génie, Guillaume! Mais maintenant, dis-lui de me relâcher!

— Guillaubot! ordonne Guillaume. Lâche-le!

Le Guillaubot obéit aussitôt à l'ordre de Guillaume. Il ouvre les bras et Jacob tombe par terre en produisant un bruit sourd.

— Hum, fait Guillaume. J'aurais probablement dû dire « Dépose-le doucement par terre. »

Jacob se relève en se frottant le dos. Je m'attends à le voir fâché, mais ce n'est pas le cas.

— Je t'ai sous-estimé, Guillaume, déclare-t-il. Ce robot est TELLEMENT chouette! Pourrais-tu m'en fabriquer un?

Je lui demande :

— Et si on s'en tenait à notre projet de sauver le monde, pour le moment?

— Ouais, approuve Guillaume. Je préfère ne pas prendre de commande tant que nous n'en aurons pas terminé avec ça. Combien de temps reste-t-il avant l'assemblée?

— Environ quinze minutes... à compter de maintenant, dis-je.

— Je vais procéder à quelques vérifications des systèmes, puis nous pourrons y aller!

Sur ce, Guillaume ouvre un panneau sur la poitrine du Guillaubot et se met à trifouiller dans le tableau de contrôle qui se trouve derrière.

Chapitre 33

Un petit problème

Je commence à être nerveux. Nous apercevons des élèves et des enseignants qui se dirigent vers l'amphithéâtre.

On dirait que ça fait des heures que Guillaume bidouille avec le tableau de contrôle du Guillaubot.

Je lui demande :

— Es-tu prêt? L'assemblée commence bientôt.

Guillaume ne me répond pas. Il est plongé dans ses pensées.

— C'est bizarre, marmonne-t-il.

Je lui demande alors :

— Quoi donc? Qu'est-ce qui est bizarre?

— L'un des principaux modules de commande ne répond plus.

— Eh bien, fais en sorte qu'il réponde, dis-je. Nous devons vraiment y aller, à présent.

Guillaume lève les yeux du tableau de contrôle et me dévisage.

— Henri, dit-il, il y a un petit problème.

— Lequel?

— Ça ne fonctionne pas.

— Ce n'est pas ce que j'appelle un petit problème, Guillaume, intervient Jacob. Je dirais plutôt que ça ressemble à un GROS problème. À un TRÈS GROS problème.

— Je sais, je sais, grommelle Guillaume en replongeant son nez dans le tableau de contrôle du Guillaubot. Mais je n'arrive pas à trouver ce qui cloche. Je ne peux pas le réparer. Je faisais un test avec le paralyseur de signal d'ennemi robot à ultra-haute fréquence et, pour une raison qui m'échappe, ça a créé un court-circuit dans tout le système.

— Je le savais que c'était trop beau pour être vrai, dit Jacob. Comme si ça allait fonctionner réellement!

— Ça n'aide en rien d'être négatif, commente Janie. Guillaume, y a-t-il quelque chose que nous pouvons faire?

— Veux-tu que je lui donne un petit coup de poing? propose Gaëlle. Ça fonctionne toujours avec notre téléviseur.

Guillaume secoue la tête et recommence à bidouiller avec le tableau de contrôle du Guillaubot.

— Je n'y comprends rien... marmonne-t-il.

Je n'y comprends rien moi non plus, mais bon, je n'ai jamais compris grand-chose au blabla technologique de Guillaume.

— Qu'allons-nous faire? dis-je en m'arrachant les cheveux et en faisant les cent pas.

Je commence à paniquer. Le Guillaubot est tout ce que nous avons et s'il ne fonctionne pas, nous avons... eh bien... rien du tout. Nous sommes fichus.

Roberta et ses copains robots vont prendre le contrôle du monde.

Que deviendrons-nous?

D'ailleurs, qu'est-ce que Roberta entend par « exterminer » exactement?

Est-ce qu'elle a l'intention de nous exterminer pour

toujours ou veut-elle simplement exterminer notre identité humaine et nous changer en esclaves robots? Y aura-t-il un jour un Henribot qui aurait mon apparence, qui parlerait comme moi, qui raconterait des histoires comme moi... mais en mieux?

Je ne veux pas que le monde soit gouverné par des robots. Le plus drôle, c'est que quand j'étais petit, j'aimais vraiment les robots. En fait, je passais mon temps à me confectionner des costumes de robot. Je passais des journées entières déguisé en robot, à agir et à parler comme un robot. J'essayais même de dormir debout parce que je m'imaginais que les robots dormaient ainsi. Évidemment, je finissais chaque fois par m'éveiller brutalement après être tombé par terre, mais c'est pour vous dire à quel point j'aimais jouer au robot. De toute façon, j'avais une boîte autour de la tête pour amortir le coup.

C'est alors que j'ai une idée.

Une idée folle, bien sûr, mais au moins, c'est une idée.

Je me tourne vers Guillaume et lui demande, même si je connais déjà la réponse :

— Alors, ça marche?

— Non, Henri, je suis désolé, dit Guillaume. Je suis vraiment désolé. Je n'arrive pas à comprendre ce qui cloche. Je vais continuer à chercher, en tout cas.

Je tapote Guillaume sur l'épaule.

— Je suis désolé, moi aussi, dis-je, mais merci d'avoir essayé... ça a presque fonctionné.

— Eh bien, j'imagine que c'est fini, dit Jacob en haussant les épaules, l'air lugubre. Tout est fini. Roberta a gagné. Adieu, tout le monde... Ça a été chouette de vous connaître.

— Peut-être pas, dis-je.

— Quoi?! s'écrie Jacob. Es-tu en train de dire que ça n'a pas été chouette de me connaître?

— Non… Je veux juste dire que tout n'est peut-être pas fini. Pas encore.

— De quoi parles-tu, Henri? demande Janie.

— Nous devons nous rendre au local d'arts plastiques… vite!

— Au local d'arts plastiques? répète Jacob. À cette heure? L'école est sur le point d'être attaquée par un robot superévolué et superintelligent, et toi, tout ce que tu penses, c'est d'aller faire de la peinture aux doigts?

— Je n'ai jamais parlé de peinture aux doigts, dis-je. Je songeais plutôt à fabriquer quelque chose comme un robot combattant de robots… mais pas un vrai cette fois, juste un semblant de robot! Bien sûr, nous ne serons pas capables de combattre Roberta, mais si nous réussissons à donner à notre robot un air assez convaincant, avec un peu de chance, elle sera incapable de faire la différence et nous pourrons la duper au point qu'elle annule son attaque.

— As-tu perdu la tête? s'écrie Jacob. L'assemblée commence dans cinq minutes! Comment pouvons-nous fabriquer un semblant de robot combattant de robots dans un délai aussi court?

— Parce que nous devons le faire, dis-je. Nous le devons, tout simplement.

Chapitre 34

Comment se transformer en un semblant de robot combattant de robots en cinq minutes ou moins

MATÉRIEL NÉCESSAIRE
- *vous-même*
- *vos amis*
- *un gros rouleau de ruban à conduits argenté*
- *une grosse boîte en carton*
- *une petite boîte en carton*
- *un rouleau de papier d'aluminium*
- *un plateau en plastique blanc*
- *trois capsules de bouteilles*
- *une éponge et un bol d'eau savonneuse*
- *deux bombes de fixatif/laque pour les cheveux*
- *deux cure-pipes*
- *une paire de ciseaux*
- *deux pinces à barbecue en métal*

MARCHE À SUIVRE
1. *Rendez-vous au local d'arts plastiques de Mme Pastel. Si vous n'avez pu trouver aucun des objets apparaissant sur la liste, à coup sûr, vous*

les trouverez là. (On trouve tout dans le local d'arts plastiques de Mme Pastel!)

2. Découpez une ouverture (assez grande pour laisser passer votre tête) dans le fond de la grosse boîte en carton.

3. Découpez un trou de chaque côté pour les bras.

4. Passez votre tête dans le trou pour la tête et vos bras dans les trous pour les bras.

5. Placez la petite boîte sur votre tête.

6. À l'aide des ciseaux, percez des trous au niveau des yeux afin de voir à l'extérieur.

7. Soyez prudent, en perçant les trous pour les yeux!!! Si vous sentez une douleur vive et aiguë dans vos yeux, c'est sûrement parce que vous n'avez pas été assez prudent.

8. Pendant que la boîte est sur votre tête, dessinez-y un visage de robot terrifiant sur le devant. Demandez à Jacob de le faire. Non seulement est-il le meilleur dessinateur de la classe (enfin, excepté Roberta, bien sûr), mais il est mieux placé que vous pour le faire, étant donné que vous avez une boîte sur la tête.

9. À cette étape, vous devrez apaiser Lucas, parce qu'il sera un peu effrayé par la face de robot que Jacob vient tout juste de dessiner. Demandez à Janie de s'en occuper, parce qu'elle est vraiment bonne pour apaiser Lucas.

10. Enveloppez de ruban à conduits argenté les espaces se trouvant entre votre tête et votre corps, ainsi qu'entre vos bras et votre corps, de manière à ce que tout votre corps ait l'air d'être en métal. Je

vous suggère de demander à Gaëlle de le faire, plutôt qu'à Jacob, car ce dernier a tendance à exagérer avec le ruban à conduits et, un peu plus tard, lorsque vous aurez vraiment besoin de retirer votre costume de semblant de robot combattant de robots, vous serez incapables de le faire.

11. Recouvrez de papier d'aluminium toutes les parties de votre corps qui ne sont pas couvertes de ruban à conduits.

12. Fabriquez un tableau de contrôle à l'allure authentique en collant trois capsules de bouteille sur un plateau en plastique blanc, puis fixez celui-ci sur votre torse.

13. Fabriquez des réacteurs à l'allure authentique en fixant deux bombes de fixatif/laque pour les cheveux la tête en bas (sans leur capuchon) dans votre dos.

14. Fabriquez une paire d'antennes de robot à l'allure authentique en fixant un cure-pipe de chaque côté de votre tête à l'aide du ruban adhésif. (Ne laissez pas Lucas se charger de cette opération. Non seulement est-il nul avec le ruban adhésif, mais en plus, il a peur des cure-pipes.)

15. Placez une pince à barbecue dans votre main gauche et fixez-la avec une tonne de ruban à conduits. Cela constitue votre pince de robot gauche.

16. Demandez à Janie de faire la même chose avec l'autre pince à barbecue dans votre main droite. (Vous avez besoin d'aide à cette étape parce que, bien que ces pinces de robot aient fière allure, il est

impossible de faire quoi que soit avec vos mains une fois qu'elles sont en place... sauf, bien sûr, les faire claquer avec un air menaçant.)

17. *Servez-vous de tout le ruban à conduits argenté qu'il vous reste pour solidifier votre corps, votre tête, vos bras, vos jambes, vos pieds et vos pinces de robots.*

18. *Demandez à Janie de rassurer Lucas sur le fait que vous n'êtes pas réellement un robot combattant de robots, mais juste une réplique parfaitement fonctionnelle et absolument convaincante d'un robot combattant de robots.*

19. *Félicitations! Vous êtes maintenant une réplique parfaitement fonctionnelle et absolument convaincante d'un robot combattant de robots!*

20. *Bonne chance!*

Chapitre 35

Henribot à la rescousse!

Je me regarde dans un des nombreux miroirs en mosaïque qui ornent le local.

Je ne suis plus moi.

Je suis un robot.

Bien sûr, je n'ai pas l'air aussi effrayant que le Guillaubot 1000, mais j'ai quand même fière allure.

Assez pour duper Roberta… du moins, je l'espère.

— Pas mal, dit Jacob avec admiration. Pas mal du tout. Si je ne savais pas que tu es Henri Tournelle déguisé en robot combattant de robots, je croirais vraiment que tu es un robot combattant de robots!

— Espérons que Roberta pensera la même chose, dit Gaëlle.

— Que-ra-con-tes-tu? dis-je avec ma meilleure voix de robot. JE-SUIS-un-ro-bot-com-bat-tant-de-ro-bots!

— Mince! s'écrie Lucas. J'ai peur des robots!

— Allons, Lucas, dit Janie avec patience. Ce n'est pas vraiment un robot, tu te souviens? C'est juste Henri déguisé en robot.

Lucas hoche la tête avec incertitude.

— Je sais, dit-il, mais j'ai peur des robots ET des personnes déguisées en robot!

— Je-ne-suis-pas-une-per-son-ne-DÉ-GUI-SÉE-en-ro-bot, dis-je. Je-suis-un-Hen-ri-bot-1000.

121

— Mince! lance encore Lucas en se précipitant vers la porte. Courons!

— Henri! s'écrie Janie en secouant la tête. Arrête de parler comme ça! Tu fais peur à Lucas!

— Par-ler-com-ment? dis-je.

— Comme un robot, répond Janie.

— Mais-je-suis-un-ro-bot...

— Henri! gronde Janie.

— C'est bon, c'est bon, dis-je. J'exerçais simplement ma voix... Je n'ai pas beaucoup de temps devant moi, tu sais!

La sonnerie retentit.

— Pas de temps du tout, à vrai dire, déclare Jacob. Nous ferions mieux de nous rendre à l'assemblée. Dépêchons!

— Af-fir-ma-tif, dis-je en me tournant vers la porte... avec difficulté.

C'est difficile de me tourner avec mon nouveau déguisement de robot.

Et c'est encore plus difficile de marcher avec tout ce papier d'aluminium et ce ruban à conduits qui recouvrent mes jambes. Je fais un pas et... je m'étale de tout mon long par terre.

— Oh! oh!, fait Gaëlle. Notre robot est tombé par terre!

— Pas très prometteur, comme début, commente Jacob.

— Je-fais-de-mon-mieux, dis-je. Pou-vez-vous-m'ai-der-à-me-re-le-ver?

— Affirmatif, répond Jacob en me soulevant et en passant mon bras derrière son cou.

Clopin-clopant, je traverse la cour du plus vite que je peux.

Mais ce n'est pas assez vite.

Alors que nous approchons du bâtiment, nous entendons une salve d'applaudissements s'éteindre... puis la voix de Roberta retentir dans l'amphithéâtre.

— Je suis un robot de l'avenir, superévolué et superintelligent. J'ai été envoyé ici par mes supérieurs pour débarrasser le monde des êtres humains inefficaces, afin que les robots puissent prendre le contrôle de la Terre.

Je n'ai pas besoin d'en entendre plus.

Je connais déjà la suite.

Ce sont exactement les mêmes mots que ceux qu'elle a écrits dans son journal.

Il n'y a pas une minute à perdre.

Chapitre 36

Henribot contre Robota

Je surgis dans l'amphithéâtre.

Roberta est debout sur la scène et elle fait la lecture de ses projets pour prendre le contrôle du monde.

Comment elle compte faire ça, je ne le sais pas trop, mais ce que je sais, par contre, c'est que je ne lui permettrai pas de mener son projet à terme.

De la voix de robot la plus menaçante que je réussisse à composer, je lui ordonne :

— AR-RÊ-TE-TOUT-DE-SUI-TE!

Comme de fait, Roberta arrête tout de suite de parler. Elle me fixe, bouche bée, tout comme M. Barbeverte qui est assis juste à sa droite sur la scène.

L'école tout entière est maintenant tournée vers moi et me regarde avancer dans l'allée centrale d'une démarche raide, puis gravir avec beaucoup de difficulté les cinq marches qui mènent à la scène.

Je déclare :

— Tu ne vas pas t'en tirer aussi facilement que tu le penses. Tu n'es pas le seul robot dans cette ville, tu sais. Si tu ne te rends pas bien sagement, je serai forcé de déchaîner ma terrible puissance de robot sur toi. Et je ne ferai preuve d'aucune pitié!

Roberta, le directeur et le reste de l'école continuent à me dévisager. Il est évident qu'ils n'ont jamais vu un robot

124

aussi impressionnant que moi auparavant.

— Qui es-tu? demande M. Barbeverte en se levant. Identifie-toi, matelot!

Je me tourne vers le directeur en affirmant :

— Je ne suis pas un matelot. Je fais partie d'une armée de dix mille robots combattants de robots postés à l'extérieur de cet amphithéâtre, prêts à attaquer à mon signal, à moins que Roberta ne se rende sur-le-champ et qu'elle renonce pour toujours à son projet diabolique de domination des robots!

Roberta affiche encore un air stupéfait. De toute évidence, elle ne s'attendait pas à rencontrer une quelconque résistance. Mon intervention lui met vraiment des bâtons dans les roues. Notre plan se déroule à merveille.

C'est alors qu'elle dit une chose à laquelle je ne m'attendais pas du tout.

— Henri?

Elle me scrute au travers des trous percés dans la boîte pour mes yeux.

— Est-ce bien toi là-dessous?

Je n'arrive pas à le croire.

Elle voit au travers de mon déguisement!

Bon, me dis-je, je ne devrais pas être surpris. Après tout, c'est un robot superintelligent doté d'un pouvoir d'observation surhumain. Mais j'ai encore quelques tours dans mon sac.

Je fais claquer mes pinces à barbecue en criant :

— JE NE SUIS PAS HENRI! JE SUIS UN ROBOT COMBATTANT DE ROBOTS!

— Je me doutais que tu étais un peu fâché... lâche Roberta.

Je répète :

— Un peu fâché? Je suis pas mal plus qu'un peu fâché!

— Je vois ça, constate Roberta, mais jamais je n'aurais cru que tu irais aussi loin.

Je réplique alors :

— Oh, tu m'as sous-estimé! Je vais faire tout ce qu'il faut pour défendre le monde contre tes plans diaboliques!

— Quels plans diaboliques? dit Roberta. Tout ce que je fais, c'est lire mon histoire, comme M. Desméninges me l'a demandé. Je sais qu'elle n'est pas aussi bonne que celles que tu écris, mais je ne crois pas que le monde coure un danger quelconque!

— Ton histoire? dis-je. De quoi tu parles?

— De mon histoire de robot, répond Roberta.

— Hein?

Roberta soupire avec impatience.

— Mon histoire de robot, répète-t-elle. Celle que j'ai inventée pour notre production écrite. Je t'avais surpris en train de lire mon brouillon, tu te souviens?

— J'ai lu ton journal, dis-je.

— Oui, c'est ce que je veux dire, dit Roberta. J'ai écrit mon brouillon dans mon journal.

— C'était une histoire?

— Mais bien sûr! s'exclame Roberta.

— Comme ça, tu n'es pas un vrai robot? dis-je.

— Non, répond Roberta en se mettant à rire. Je ne suis pas plus un robot que toi... même si ton costume est très réussi!

Roberta n'est pas la seule à rigoler. Je jette un coup d'œil dans la salle. Toute l'école rit, y compris les enseignants

126

et, pire que tout, Jacob, Janie, Gaëlle et Lucas.

Je ne sais plus quoi penser.

Ou bien j'ai fait l'erreur la plus stupide de ma vie... ou bien l'explication de Roberta voulant que son rapport soit une histoire inventée n'est rien d'autre qu'une de ses ruses superintelligentes pour détourner l'attention de la vérité, à savoir qu'elle est réellement un robot.

— Je te l'avais dit que ton texte était fort, Roberta, dit M. Desméninges en montant sur la scène, les yeux encore humides d'avoir autant ri.

Je viens d'obtenir ma réponse.

J'ai fait l'erreur la plus stupide de ma vie.

— Roberta a écrit un monologue en se plaçant dans la peau d'un robot de l'avenir qui envahit la Terre, explique M. Desméninges, et son histoire était tellement bonne que je lui ai suggéré de la lire durant l'assemblée.

C'est donc pour ça qu'elle avait encerclé la date d'aujourd'hui : c'était le grand jour!

Je demande alors à Roberta :

— Pourquoi ne me l'as-tu pas dit?

— J'étais angoissée à l'idée de devoir lire devant toute l'école. Je ne voulais pas que quiconque le sache à l'avance. J'avais l'impression que ce serait pire, explique-t-elle. Mais je croyais que tu avais deviné. Je vous ai surpris en train de lire les notes que j'avais inscrites dans mon journal!

— Nous avons cru que c'était un vrai rapport de mission écrit par un robot! dis-je. Et que tu avais planifié de nous exterminer tous durant l'assemblée.

— Tu as pensé que j'avais des projets pour prendre le contrôle du monde?

Je suis obligé de l'admettre :

127

— Oui. Je crois bien que c'est ce que j'ai... je veux dire nous... avons pensé.

Ma réponse suscite un nouvel éclat de rire dans la salle.

Roberta éclate de rire, elle aussi.

C'est humiliant, mais d'une certaine manière, et même si c'est à mes dépens, c'est bon de voir Roberta rire de bon cœur et s'amuser comme les autres.

Et, bien sûr, c'est tellement mieux que d'être exterminé par des robots.

Mais plus que tout, c'est ASSURÉMENT mieux que ce qui arrive par la suite.

Chapitre 37

Guillaubot contre Henribot

Soudain, un fracas terrible retentit à l'arrière de la salle.

Je me retourne du plus vite que je peux... ce qui n'est pas très vite, mais qui est suffisant pour me permettre de voir le Guillaubot défoncer l'entrée, faisant éclater le cadre de porte au passage et s'écrouler les briques qui bordent l'ouverture.

Du coup, les sourires disparaissent sur tous les visages.

— J'ai dit « Ouvre d'abord la porte, puis franchis-la »! crie Guillaume qui court derrière son robot.

— Quelle est donc cette chose? s'écrie Roberta en voyant l'énorme Guillaubot cliqueter et descendre l'allée d'un pas lourd jusqu'au milieu de la salle.

— C'est un Guillaubot 1000! dis-je.

Les élèves se dispersent et courent se mettre à l'abri en le voyant approcher, sa grosse tête en forme de seau pivotant d'un côté à l'autre comme s'il scrutait la salle à la recherche de quelque chose... des robots, fort probablement.

— Super costume! lance Roberta. Qui est dessous?

— Personne... c'est un vrai robot, dis-je. Mais il est brisé!

— Eh bien, il n'a pas l'air brisé en ce moment, en tout cas.

Je me penche vers le micro et dis :

— Éteins-le, Guillaume. Nous n'en avons pas besoin. Roberta n'est pas un robot. Et c'est moi, Henri, qui suis sous ce costume. Éteins-le.

Le Guillaubot tourne sa grosse tête en forme de seau et pose ses yeux sur moi. C'est à ce moment que je remarque son antenne : elle est rouge et elle clignote.

— Henri? demande Guillaume. C'est toi, là-dessous?

— Oui! dis-je. Je me suis déguisé en robot pour remplacer le Guillaubot!

— Oh! oh!, fait Guillaume. Le Guillaubot te prend pour un robot!

— Eh bien, déprogramme-le!

— ARRÊTE, GUILLAUBOT! ordonne Guillaume. ABANDONNE LA MISSION ANTI-ROBOTS. JE RÉPÈTE. ABANDONNE LA MISSION!

Mais en guise de réponse, le Guillaubot reprend sa marche vers la scène.

— Guillaume! Éteins-le!

— JE T'ORDONNE DE T'ARRÊTER! crie Guillaume en se plantant devant le Guillaubot et en agitant furieusement les bras.

Mais le Guillaubot se contente de soulever Guillaume et de l'ôter de son chemin.

À présent, les élèves et les enseignants se précipitent vers les portes dans une panique folle pendant que le Guillaubot poursuit sa marche vers la scène, fonçant parmi les chaises vides que le public a désertées.

Olivier Rustaud n'est pas assez rapide, cependant. D'un grand coup de pied, le Guillaubot pousse la chaise sur laquelle il se trouve. Olivier s'étale par terre de tout son long.

— Je vais dire à mon frère que tu as fait ça! lance Olivier en roulant de côté pour s'ôter du chemin du robot, juste à temps pour ne pas être piétiné.

Mais le Guillaubot ne semble pas se soucier d'Olivier, ni de son frère, ni de quoi que ce soit d'ailleurs, sauf d'avancer vers la scène.

— Je n'arrive pas à l'arrêter, lance Guillaume en courant derrière lui. Il ne répond plus à mes ordres. Une fois qu'il est lancé en mode « attaque de robots », il ne s'arrêtera pas tant que l'ennemi robot ne sera pas neutralisé.

— Mais il n'y a PAS de robot, dis-je.

— Non, réplique Roberta, mais toi, tu es déguisé en robot. De toute évidence, il est incapable de faire la différence.

Je commence à essayer de déchirer mon costume pour m'en débarrasser, mais ça ne fonctionne pas. Mes amis se sont un peu déchaînés sur le ruban à conduits argenté de Mme Pastel. Il me faudrait des heures pour réussir à ôter tout ça.

— Je suis incapable de l'ôter! dis-je soudainement pris de panique. Qu'est-ce que je fais?

— Sors d'ici et vite, suggère Roberta en venant se placer devant moi pour me protéger du Guillaubot et en me poussant vers le bord de la scène.

— COURS, HENRI! hurle-t-elle.

Je trébuche, tombe en bas de la scène et m'écrase par terre.

Je reste là, à gesticuler et à essayer de me relever quand Janie, Jacob et Gaëlle apparaissent. Roberta bondit en bas

131

de la scène et tous les quatre m'aident à me remettre sur pied et commencent à me traîner vers l'une des sorties.

Je regarde autour de moi. À part M. Barbeverte, tout le monde a déjà quitté l'amphithéâtre.

Le Guillaubot gronde derrière nous, fracassant de ses pieds puissants toutes les chaises qui se trouvent sur son passage.

Le directeur se plante devant lui et brandit un sabre de son côté.

— ARRIÈRE, CANAILLE! crie-t-il. Quitte tout de suite ce navire ou je repeins le pont en rouge avec ton sang de crapule!

Mais le Guillaubot se contente de pousser M. Barbeverte de côté et continue à me pourchasser.

Le directeur lève les yeux vers l'énorme dos du Guillaubot qui s'éloigne de lui.

— Quel genre d'homme es-tu? dit-il en secouant la tête, tout abasourdi.

— Ce n'est pas un homme! dis-je. C'est un robot!

— Un paquebot? s'étonne M. Barbeverte. Les paquebots n'ont pas de jambes!

Je hurle alors :

— Non, pas un paquebot! Un robot!

Je regrette aussitôt d'avoir hurlé ce mot, car le Guillaubot m'a entendu et il accourt vers moi en cassant tout sur son passage.

— COURS! crie Roberta.

Pas besoin qu'on me le dise deux fois.

Je cours aussi vite que mes jambes recouvertes de ruban à conduits me le permettent, ce qui ressemble à quelque chose d'à peine plus vite qu'un boitement rapide.

132

Chapitre 38

La leçon la plus importante que j'ai apprise de toute ma vie

Si vous comptez vous déguiser en robot, n'utilisez pas trop de ruban à conduits argenté, juste au cas où un robot combattant de robots vous apercevrait et que vous devriez subitement sortir en toute hâte de votre costume de robot.

Chapitre 39

Attaque à la fourche

Roberta et moi, suivis de près par M. Barbeverte, sommes les derniers à sortir de l'amphithéâtre.

Tout le reste de l'école se tient dehors, regroupé en un gigantesque peloton terrifié.

Au moment où nous sortons, un éclair illumine le ciel, suivi d'un gros coup de tonnerre.

Mais il n'y a pas que l'air autour de nous qui tremble.

Le sol lui-même tremble alors que le Guillaubot tente de se frayer un chemin hors de l'amphithéâtre.

C'est alors que les fenêtres commencent à voler en éclats.

— Hé! s'écrie Guillaume, rempli d'excitation. On dirait bien que le paralyseur d'ennemi robot à ultra haute fréquence fonctionne, après tout! La fréquence super ultra haute fracasse le verre. Si tu étais un robot, tu serais vraiment en mauvaise position, en ce moment.

— Au cas où tu ne l'aurais pas remarqué, dis-je, JE SUIS vraiment en mauvaise position, en ce moment! Je suis poursuivi par un robot combattant de robots!

— Il faut que tu l'arrêtes, Guillaume! le supplie Janie.

— Je ne peux pas! répond-il. Il ne répond plus aux commandes verbales. Et je n'arrive pas à m'approcher suffisamment de lui pour actionner son tableau de contrôle

134

à la main.

— Combien de temps reste-t-il avant qu'il soit à court d'énergie? demande Roberta.

— Ça ne se produira pas, répond Guillaume. Il fonctionne à l'énergie solaire. En théorie, il peut fonctionner éternellement.

— Éternellement? répète Janie.

— Il ne s'arrêtera pas tant qu'il n'aura pas neutralisé le robot ennemi, explique Guillaume.

Tous les regards se tournent vers moi.

— Nous devons te sortir de ce costume, Henri, déclare Janie en retirant frénétiquement les bandes de ruban collées sur mes bras et mes jambes.

— ATTENTION! hurle Guillaume.

Le Guillaubot vient de sortir de l'amphithéâtre... en abattant un mur entier.

Le mur s'écroule par terre... puis tous les autres murs à leur tour et enfin, le toit s'effondre. Nous nous retrouvons enveloppés dans un nuage de poussière et de débris.

Le directeur brandit son poing vers le Guillaubot et lui crie :

— Espèce de vaurien! Attends que je t'attrape!

Le Guillaubot se lève, scrute les lieux, me repère et se met à marcher dans ma direction.

M. Barbeverte marche à grandes enjambées à sa rencontre.

— Non, monsieur Barbeverte, ne faites pas ça! s'écrie Janie en lui agrippant le bras. Gaëlle! Aide-moi!

— Venez, monsieur Barbeverte, dit Gaëlle. Nous devons partir!

— Je ne vais nulle part! proteste le directeur. Un

capitaine n'abandonne jamais son navire!

— Quand celui-ci est détruit par un robot, oui! réplique Gaëlle en le prenant au creux de ses bras puissants, puis en l'installant sur ses épaules à la manière des pompiers.

Elle s'éloigne en courant avec lui, le dépose près de la la foule d'élèves et d'enseignants regroupés de l'autre côté de la grille de l'école, puis revient à la course.

Pendant ce temps, M. Desméninges tente de calmer tout le monde.

— Calmez-vous! déclare-t-il en résistant avec bravoure, alors que le Guillaubot avance vers lui. Rien ne sert de paniquer! Les robots sont nos amis!

Puis il se tourne vers le robot et ajoute :

— Robot, mon frère, je viens en ami!

Au moment où il prononce ces paroles, le Guillaubot s'immobilise devant M. Desméninges et tend les bras.

— Vous voyez? dit M. Desméninges. Il ne veut pas nous faire de mal.

En toute amitié, M. Desméninges lui tend sa main droite.

Toutefois, le Guillaubot a d'autres intentions. Il saisit la main de M. Desméninges, le soulève de terre et le lance en l'air. L'enseignant atterrit tête première dans un parterre de fleurs.

— Que croyez-vous être en train de faire, Desméninges? s'écrie un M. Herbête enragé, sorti de nulle part.

— Ce n'était pas mon idée, répond M. Desméninges en secouant sa tête pour en faire tomber la terre. Au cas où vous n'auriez pas remarqué, nous subissons une attaque de robot, ici!

— Une attaque de robot? répète M. Herbête en se

tournant pour affronter le Guillaubot. Ce tas d'écrous et de boulons? Rien qui puisse résister à ma fourche!

— Je ne ferais pas ça si j'étais vous, dit M. Desméninges.

Mais c'est trop tard.

M. Herbête s'élance vers le Guillaubot, brandissant sa fourche haut dans les airs et l'abattant ensuite avec force en plein sur l'épaule du robot géant.

Une pluie d'étincelles jaillit de la carcasse métallique du Guillaubot.

— Touché! s'écrie M. Herbête, triomphal.

Mais sa victoire est de courte durée.

Le Guillaubot lui arrache la fourche des mains et la casse en deux comme s'il s'agissait d'un cure-dents, puis lance les deux morceaux par terre.

M. Herbête reste planté là à le regarder.

Puis il s'enfuit à toutes jambes.

Janie aide M. Desméninges à se relever.

— Je croyais vous avoir entendu dire que les robots étaient nos amis!

— Ils le sont! réplique M. Desméninges. Sauf les méchants!

Chapitre 40

2ᵉ grande leçon de M. Desméninges qui ne concerne pas les blagues

Les robots sont nos amis… sauf les méchants.

Chapitre 41

Chercher et détruire

— Viens, Henri! crie Roberta. Cours!

Elle attrape ma main et m'entraîne à sa suite. Je ne vois pas grand-chose à cause de mon masque de robot, mais je comprends que nous nous dirigeons vers le local d'arts plastiques. Jacob, Janie, Guillaume, Gaëlle et Lucas font tous de leur mieux pour m'aider à courir, même si l'aide de Lucas se limite principalement à crier « Il nous suit! » et « Au secours! Nous allons tous mourir! ».

— Lucas! intervient Jacob. Ce n'est pas ce qu'on appelle se rendre utile!

— Ne sois pas mesquin, Jacob! réplique Janie. Il nous aide du mieux qu'il peut!

— Comment diable le fait de crier « Au secours! Nous allons tous mourir! » peut-il bien nous aider? demande Jacob.

— Ça nous fait courir plus vite, répond Gaëlle.

— Facile à dire pour vous, dis-je.

C'est avec soulagement que nous atteignons enfin le local d'arts plastiques.

C'est avec encore plus de soulagement que nous voyons Mme Pastel nous accueillir à la porte avec son sourire amical.

— Ah, vous voici, les enfants! lance-t-elle, radieuse. Quel magnifique costume de robot vous avez fabriqué là!

139

Comme c'est beau de vous voir être créatifs par vous-mêmes!

— Nous ne sommes pas créatifs! hurle Lucas. Nous allons tous mourir!

Mme Pastel sourit.

— Oh, Lucas, dit-elle en tapotant affectueusement sa tête, tu as une imagination si vive!

— Ce n'est pas mon imagination, madame Pastel! crie-t-il d'une voix perçante en désignant le Guillaubot derrière lui.

Mme Pastel étouffe un cri.

— Tu as tort, Lucas! Il faut beaucoup d'imagination pour fabriquer un tel costume!

— Ce n'est pas un costume! rectifie Guillaume, l'air légèrement irrité. C'est un véritable robot combattant de robots qui fonctionne! Je l'ai conçu et fabriqué moi-même!

— Je ne me vanterais pas trop de ça, Guillaume, si j'étais toi, dit Jacob, étant donné qu'il est présentement en train de démolir toute l'école.

— Tu es TELLEMENT jaloux! s'insurge Guillaume. Tu dis ça juste parce que je suis capable de construire un robot combattant de robots et pas toi!

— Nous sommes tous talentueux et créatifs à notre manière, déclare Mme Pastel. Il n'y a aucune raison d'être jaloux les uns des autres. En parlant de ça, pourquoi ne demandez-vous pas à votre robot s'il aimerait entrer et venir créer une œuvre de son cru?

Malheureusement pour Mme Pastel, le Guillaubot n'est pas aussi intéressé à être créatif qu'il l'est à m'anéantir, moi et tout ce qui l'empêche de m'atteindre, ce qui, dans ce cas, est le local d'arts plastiques de Mme Pastel.

Le Guillaubot s'arrête. Il doit avoir émis une mégavibration à haute fréquence parce que toutes les fenêtres volent en éclats et une pluie de petits fragments de verre tombe autour de nous. Étrangement, les débris forment un joli motif au sol.

— Merveilleux! s'exclame Mme Pastel. Tout simplement merveilleux!

Toutefois, elle ne trouve pas que ce qui se produit ensuite est aussi merveilleux.

Le Guillaubot commence à se frayer un chemin jusque dans le local en fracassant tout sur son passage, arrachant la brique, brisant le bois et faisant tomber une tonne de poussière de plâtre sur nos têtes.

— Bon, voyez-vous, dit Mme Pastel, je suis entièrement pour le fait que les gens s'expriment, mais pas si leur action met la vie des autres en danger.

Le Guillaubot se fiche complètement de l'opinion de Mme Pastel en matière d'expression artistique. Il la soulève et la laisse tomber par la fenêtre.

Elle se relève et nous regarde par l'embrasure où se trouvait la fenêtre.

— Ne craignez rien, les enfants, dit-elle. Je cours chercher de l'aide.

Puis elle s'éloigne à toute vitesse.

Le Guillaubot avance vers nous.

— Sauve qui peut, tout le monde! lance Roberta en m'attrapant par le bras et en faisant un bond puissant au travers d'un des cadres de fenêtres vides.

Roberta et moi atterrissons en tas à l'extérieur. Les autres tombent par-dessus nous à l'instant même où le reste du local s'effondre comme l'a fait l'amphithéâtre avant lui.

— Merci, Roberta, dis-je. Je te dois une fière chandelle. Mais n'est-il pas contraire au règlement de sortir d'un bâtiment en sautant par la fenêtre?

— Oui et je n'en suis pas fière, dit Roberta en s'ôtant de sur mon dos et en m'aidant à me relever. Mais je n'avais pas le choix. Et puis, tu sais ce qu'on dit : les règles sont faites pour être contournées!

Le Guillaubot apparaît parmi les décombres du local d'arts plastiques et reprend sa marche vers nous à pas lourds.

— Au secours! hurle Lucas. Nous allons tous mourir!

À force de me pousser, de me tirer et de me porter, le groupe parvient à m'entraîner vers la bibliothèque. Mais M. Sainte-Paix arrive avant que nous puissions y entrer.

— Pas si vite, déclare-t-il en s'interposant entre nous et la porte. Ne pensez pas que vous allez entrer ici en courant comme ça! C'est une bibliothèque ici, pas un gymnase! Il y a quelques règles que vous devez connaître avant de pénétrer dans ma bibliothèque!

— Nous les connaissons déjà! s'écrie Roberta en bousculant M. Sainte-Paix pour passer. D'ailleurs, vous savez ce qu'on dit, pas vrai?

— Non. Quoi donc? s'étonne M. Sainte-Paix.

— Les règles sont faites pour être contournées! lance-t-elle en nous faisant signe de la suivre à l'intérieur.

— Déjà-vu! fait remarquer Jacob.

— Allez! crie Roberta à tue-tête. Qu'attendez-vous donc?

La vérité, c'est que nous avons un peu peur d'entrer dans la bibliothèque sans la permission de M. Sainte-Paix, mais bon, nous avons BIEN PLUS peur du Guillaubot.

Nous nous engouffrons dans la bibliothèque.

M. Sainte-Paix n'a pas le temps de s'occuper de nous, cependant... il doit s'occuper du Guillaubot qui démolit l'escalier en continuant à nous poursuivre.

— Pas si vite, l'entendons-nous déclarer au robot géant. Il y a quelques règles que vous devez connaître avant de pénétrer dans ma bibliothèque...

Mais le Guillaubot n'est pas plus intéressé par les règles de M. Sainte-Paix que nous ne le sommes habituellement. Il soulève le bibliothécaire et le dépose tête première dans la boîte de retour des livres de la bibliothèque.

— Règle numéro un! lance la voix étouffée de M. Sainte-Paix depuis l'intérieur de la boîte. Il est interdit de déposer le bibliothécaire tête première dans la boîte de retour des livres de la bibliothèque!

Pour toute réponse, le Guillaubot se met à arracher les portes de la bibliothèque.

— Règle numéro deux! continue M. Sainte-Paix. Il est interdit d'arracher les portes de la bibliothèque!

Je dois admettre que je suis très impressionné par l'entêtement de M. Sainte-Paix à réciter sa liste de règles malgré le fait qu'il se trouve coincé tête première dans la boîte de retour des livres de la bibliothèque.

Je suis aussi très impressionné par l'entêtement du Guillaubot à anéantir le robot ennemi : j'aurais seulement préféré que le « robot ennemi » en question ne soit pas moi.

Le Guillaubot démolit les portes de la bibliothèque d'un dernier coup tout-puissant et y entre aussitôt... saccageant tous les livres sur son passage en les piétinant.

143

— Oh là là... fait Jacob. Je ne crois pas que M. Sainte-Paix va apprécier. Piétiner les livres est assurément contraire au règlement. J'ai même un peu de peine pour les livres.

— Mince! s'écrie Lucas.

Quand la bibliothèque se met à trembler et que les vitres commencent à voler en éclats, nous courons tous vers une fenêtre et l'enjambons. Nous traversons la cour à la course en direction du bâtiment qui abrite l'administration et nous gravissons les marches qui mènent au secrétariat de l'école.

Nous claquons la porte derrière nous et nous accroupissons, risquant un œil par la petite fenêtre qui compose la moitié supérieure de la porte.

— Que faisons-nous maintenant? demande Jacob.

— Nous nous préparons à mourir! hurle Lucas.

— Ce n'est pas à toi que je posais la question! réplique Jacob.

— Nous ne pouvons rien faire, répond Guillaume. Le Guillaubot est programmé pour chercher et détruire les autres robots, et c'est ce qu'il fera jusqu'à ce qu'il en ait trouvé un. Malheureusement, dans le cas qui nous préoccupe, c'est Henri qu'il veut.

— Ce n'est pas à toi non plus que je posais la question! réplique Jacob. C'est ta faute si nous sommes dans le pétrin!

— C'est vous qui m'avez demandé de construire un robot!

— Eh bien, tu aurais pu refuser!

— Jacob! intervient Janie. Je sais que nous sommes présentement pourchassés par un robot terrifiant qui ne répond plus aux ordres de Guillaume, mais ce n'est pas une raison pour être impoli! Tu devrais t'excuser auprès de Lucas et de Guillaume.

Jacob hausse les épaules.

— Excuse-moi, Lucas, dit-il. Excuse-moi, Guillaume. J'essaie simplement de trouver une manière d'aider Henri.

— Nous essayons tous, renchérit Janie, mais ce n'est pas en nous chamaillant que nous y arriverons.

— Nous ne pouvons pas continuer à fuir, dis-je. Guillaume a raison. C'est évident qu'il va démolir toute l'école jusqu'à ce qu'il me trouve.

— C'est peut-être Mme Malcommode qui va te sauver, dit Roberta.

— De quoi tu parles? dis-je.

— Regardez par vous-mêmes, dit-elle en désignant la fenêtre, laquelle, curieusement, n'a pas volé en éclats.

Le Guillaubot a été forcé d'interrompre sa poursuite et de s'arrêter en plein milieu de la cour, car Mme Malcommode est venue se planter devant lui.

Le reste de l'école s'est réfugié derrière la grille de l'école et pousse des cris de joie.

Mme Malcommode est l'enseignante la plus malcommode de l'école. Sa colère est terrifiante. Si quelqu'un peut arrêter le Guillaubot, c'est bien elle.

— Qu'est-ce que tu fais? demande-t-elle sèchement. Arrête immédiatement!

Disant cela, elle tape du pied et croise les bras avec un air de défi.

Pour toute réponse, le Guillaubot l'imite. Il croise ses bras et donne un bon coup de pied par terre. Tellement fort, en fait, qu'une faille immense s'ouvre au centre du terrain de basket-ball. Mme Malcommode perd pied et tombe dedans.

— Bon, tu as réussi à me mettre VRAIMENT EN COLÈRE, hurle-t-elle du fond de la faille. Si tu crois que j'étais en colère tout à l'heure, détrompe-toi. Attends un peu que je sorte d'ici!

— Je ne crois pas que ce soit pour bientôt, commente Gaëlle.

— Non, approuve Janie. C'est une très grosse faille... et elle grossit sans cesse!!!

Sous nos yeux, le sol continue à se fissurer et la faille finit par atteindre l'escalier de l'immeuble où nous nous trouvons.

— Oh! oh! fait Roberta. Sauve qui peut!

Mes amis bondissent tous sur leurs pieds, m'attrapent par le bras, me traînent dans le corridor, dépassent le bureau de Mme Petitsoins, puis sortent.

Juste à temps.

Pendant que le sol continue à se fissurer sous le bâtiment, celui-ci se met à trembler et à tomber en morceaux, pour finalement s'effondrer en un gros tas de décombres.

Nous regardons autour de nous à la recherche d'un endroit où nous cacher.

Le seul bâtiment encore debout est celui qui abrite notre classe. Mais on ne jurerait pas qu'il va l'être encore bien longtemps.

Lui aussi commence à se fissurer.

Des tuiles tombent du toit.

Des briques commencent à se détacher des murs.

Tout l'immeuble se met à pencher d'un côté, puis il

s'effondre dans un nuage de poussière qui nous enveloppe dans un épais brouillard.

Nous toussons et crachons.

Toutefois, quand la poussière finit par retomber, nous apercevons une lumière.

C'est la lumière rouge brillant au bout de l'antenne du Guillaubot qui fonce sur nous.

— Viens! crie Gaëlle en m'empoignant par le bras.

— Non, dis-je en me dégageant.

Je sais ce que je dois faire.

Le Guillaubot est programmé pour exterminer les robots ennemis.

Aux yeux du Guillaubot, je suis un robot ennemi.

Il a déjà démoli l'école pour me trouver. Que détruira-t-il ensuite? La ville de Nordouest? La ville de Centreville? Le reste du monde?

Il n'y a que moi qui ai le pouvoir de l'arrêter. J'ordonne donc à mes amis :

— Allez rejoindre le reste des élèves.

Ils me regardent tous, l'air stupéfait.

— Henri! s'écrie Janie en m'attrapant le bras. Tu ne vas pas faire une bêtise, n'est-ce pas?

— C'est trop tard pour ça, dis-je en me dégageant de son étreinte. Si je n'avais pas été assez bête pour m'imaginer que Roberta était un robot, rien de tout ça ne serait arrivé. Tout est ma faute, mais je vais réparer mon erreur... Je le promets.

Chapitre 42

Brigand à la rescousse

Je m'avance vers le Guillaubot.

Son antenne clignote vivement.

Je ferme les yeux.

Dans un moment, tout sera terminé.

Le Guillaubot est programmé pour détruire les robots.

Eh bien, il se trouve que je suis le seul robot ici. Une fois qu'il m'aura neutralisé, il s'arrêtera. Rien d'autre, ni personne d'autre, ne pourra subir de dommages.

Il brandit en l'air ses bras énormes. Il va m'écraser comme un vulgaire moustique.

Je me prépare au pire.

C'est alors que j'entends les chiens.

Qui hurlent, qui aboient et qui jappent.

J'ouvre les yeux.

Une meute innombrable de chiens, menée par Brigand, court vers moi.

En fait, je comprends bientôt qu'ils ne courent pas tant vers moi que vers le Guillaubot.

Toute la meute de chiens, on dirait qu'ils sont des centaines, se presse autour des puissantes jambes du Guillaubot. Celui-ci tente d'avancer malgré la meute, mais les chiens lui sautent dessus en si grand nombre et avec un tel enthousiasme qu'ils finissent par le faire trébucher et s'affaler par terre.

Puis les chiens bondissent sur lui et se mettent à lui donner des coups de pattes, à pousser de petits jappements et à le lécher avec une folle frénésie.

Mes amis accourent à mes côtés.

Je demande alors :

— Que se passe-t-il, Guillaume? D'où viennent tous ces chiens?

— Je crois que c'est le paralyseur d'ennemi robot à ultra haute fréquence, dit-il. Je vous l'avais dit que les chiens pouvaient l'entendre!

— Et ils l'aiment VRAIMENT! ajoute Janie.

Le Guillaubot est couvert de bave de chien. Des volutes de vapeur et de fumée montent de sa carcasse métallique.

— Oh! oh! fait Guillaume. Leur bave doit avoir touché les fils. Reculez... ça pourrait être dangereux!

Nous reculons pendant que le Guillaubot émet des sifflements, des étincelles, des bruits de détonation... avant d'éclater en morceaux dans une explosion monumentale qui envoie les chiens voler dans toutes les directions.

Quand ils retombent par terre, ils filent la queue entre les jambes en aboyant de frayeur.

Il ne reste plus du Guillaubot qu'un tas de feuilles de métal tordues, d'écrous, de boulons, de fils et une botte de caoutchouc déchiquetée.

Chapitre 43

La grande idée de M. Desméninges

Nous restons plantés devant l'amas de décombres fumants. C'est tout ce qu'il reste du bâtiment qui a jadis été notre école.

Janie serre ma main et me dit :

— Ne t'en fais pas, Henri.

— Mais tout est ma faute! dis-je. Je suis tellement désolé, Roberta.

— Ça va, dit-elle. En tout cas, tu as l'imagination vraiment fertile.

Je réplique alors :

— Toi aussi. C'est toute une histoire que tu as écrite là! Tu m'as bien eu.

— Ce n'était pas si bon que ça, proteste Roberta. Je n'ai pas eu besoin de beaucoup d'imagination pour l'écrire. M. Desméninges nous a dit d'écrire à propos de quelque chose que nous connaissions bien, alors, c'est ce que j'ai fait.

Lucas a le souffle coupé.

— Tu es réellement un robot?

— Non, dit Roberta, mais je sais ce que c'est que de se sentir différent des autres. C'est ma troisième école en trois ans. J'ai toujours eu de la difficulté à m'intégrer. Alors, cette fois, je voulais vraiment que ça fonctionne. J'imagine que j'ai essayé un peu trop fort.

— Et j'imagine que nous ne t'avons pas exactement facilité la tâche, n'est-ce pas? dis-je.

Roberta hausse les épaules.

— Ça va, dit-elle. J'ai comme l'impression que nous sommes amis à présent... non?

Je m'écrie aussitôt :

— Tu parles!

— Les meilleurs amis! renchérit Janie.

— Tu fais assurément partie de la bande maintenant, déclare Gaëlle en lui souriant. Et je suis prête pour une reprise de combat quand tu veux.

— Entendu, répond Roberta. C'était probablement un simple coup de chance si je t'ai battue l'autre jour.

— En tout cas, tout s'est bien terminé pour chacun de nous, pas vrai? dit Jacob. Et le meilleur, c'est qu'il n'y a pas d'école! C'est le plus beau jour de ma vie!

— Pour toi, peut-être, commente Janie, mais pas pour le pauvre M. Barbeverte.

Le directeur est à genoux et il tient sa tête entre ses mains.

Je pense bien qu'il pleure.

De voir M. Barbeverte aussi bouleversé me fait sentir encore plus mal que je ne me sentais déjà.

C'est à ce moment que le soleil apparaît et qu'un arc-en-ciel se dessine dans le ciel au-dessus de l'école. C'est un spectacle à la fois triste et beau.

M. Desméninges s'agenouille à côté de M. Barbeverte, passe son bras derrière lui et lui serre l'épaule.

— Vous savez, monsieur Barbeverte, dit-il, il s'agit peut-être d'un bienfait déguisé... d'une occasion merveilleuse! Nous pouvons maintenant reconstruire l'école, la faire plus grande et mieux qu'elle ne l'était avant. Nous pouvons nous faire aider des élèves. Après tout, c'est en faisant qu'on apprend.

C'est clair : plus il y songe et plus M. Desméninges est emballé par cette idée.

— Nous pourrions planifier nos cours en fonction de ce projet! continue-t-il. Pensez-y un peu. Les mesures et le calcul : ce sont des mathématiques. Les installations électriques et la plomberie : de la science! Pendant qu'ils se familiarisent avec la construction, les élèves élargissent leur vocabulaire... et voilà pour le français. Ils auront l'occasion de faire plein d'exercice tout en prenant l'air, ce qui leur évitera d'avoir des cours d'éducation physique, et ils pourront siffler et chanter en travaillant, ce qui les aidera non seulement à passer le temps, mais aussi à enrichir leurs connaissances musicales.

Mme Pastel, qui hoche la tête avec enthousiasme en entendant M. Desméninges, vient se placer à côté de lui.

— Je crois que c'est une idée merveilleuse, déclare-t-elle à M. Barbeverte. Les enfants apprendraient tant de choses en participant à la conception, à la peinture et à la décoration de la nouvelle école. Et, qui sait, nous pourrions peut-être même la concevoir en forme de bateau!

En entendant le mot « bateau », le directeur lève les yeux et sourit. Puis il se met debout.

— Un bateau! répète-t-il. Mais oui! Bien sûr! Nous pouvons construire une nouvelle, une meilleure école... une qui soit vraiment en état de naviguer. Et que nous pourrons tenir en ordre en un rien de temps. Vous allez voir que l'an prochain, nous allons remporter ce prix pour l'école la plus propre de Nordouest. Je vous le garantis!

Guillaume fait un pas et propose à M. Barbeverte :

— Si vous voulez, je pourrais vous construire un robot constructeur d'école pour aider avec les travaux lourds.

— NON! crions-nous tous en même temps.

Guillaume prend un air vexé.

— Pourquoi pas un système de poulies, alors? demande-t-il. Je pourrais installer un palan. Est-ce que ça irait?

— Est-ce que cela inclurait une forme quelconque de robotique? demande le directeur.

— Non, juste des cordes et des poulies, répond Guillaume.

Puis il ajoute, plein d'espoir :

— Mais, si vous le désirez, je pourrais y intégrer un processeur électronique numérique superévolué.

— Je crois que juste des cordes et des poulies, ce sera très bien, répond M. Barbeverte d'un ton ferme. Restons dans la simplicité.

— Oui, monsieur, répond Guillaume en soupirant. Juste des cordes et des poulies.

Chapitre 44

Le dernier chapitre

Voilà, c'était mon histoire.

Juste au cas où vous vous poseriez la question, elle est tout à fait véridique.

Dans les moindres détails.

Si jamais vous visitez Centreville et que vous passiez, par hasard, devant l'école Sudest de Nordouest de Centreville, n'hésitez pas à vous y arrêter.

Nous sommes très faciles à trouver. Notre école est celle qui a l'air d'un bateau.

Notre classe est sur le deuxième pont, à tribord. C'est celle qui a les hublots extra gros.

Mais n'oubliez pas de passer d'abord par le bureau de la commissaire, Mme Rabat-Joie, pour vous procurer un gilet de sauvetage… Nous n'avons heurté aucun iceberg jusqu'à maintenant, mais comme dit la mère de Janie, mieux vaut prévenir que guérir.

Et si jamais vous apercevez des robots, ne vous inquiétez pas : ce sera probablement nous en train de tourner une version cinématographique de l'histoire de Roberta. Mon costume l'a tellement impressionnée qu'elle m'a demandé de jouer dedans.

Ça va être toute une révolte!